DISCARD

SINGER

BIBLIOTECA DE COSTURA MR

Detalles de originalidad

LIMUSA

GRUPO NORIEGA EDITORES

México • España • Venezuela • Argentina
Colombia • Puerto Rico

SINGER

BIBLIOTECA DE COSTURA^{MR}

Detalles de originalidad

CONTENIDO

CY DECOSSE INCORPORATED
Director: Cy DeCosse
Presidente: James B. Maus
Vicepresidente ejecutivo: William B. Jones

CREATIVE SEWING IDEAS
Extending the Life of your Clothes
Elaboración: Departamento Editorial de
Cy DeCosse Incorporated, en colaboración con el
Singer Education Department. Singer es marca
registrada de la Compañía Singer y se está usando
con su autorización.

Versión autorizada en español de la obra publicada
en inglés por Cy DeCosse Incorporated con el título de
CREATIVE SEWING IDEAS
© 1990 Cy DeCosse Incorporated (English version). All rights reserved.
© 1992 Cy DeCosse Incorporated (versión española). Derechos reservados.
    ISBN 0-86573-283-3 (pasta dura, versión en español para EE.UU.)
Distributed in the U.S. and Canada by Cy DeCosse Incorporated.
    5900 Green Oak Drive, Minnetonka, MN 55343, U.S.A.

Versión en español:
HERENIA ANTILLÓN
ALMAZÁN

La presentación y disposición en conjunto de

DETALLES DE ORIGINALIDAD

son propiedad del editor. Ninguna parte de esta
obra puede ser reproducida o transmitida, mediante
ningún sistema o método, electrónico o mecánico
(INCLUYENDO EL FOTOCOPIADO, la grabación
o cualquier sistema de recuperación y almacenamiento
de información), sin consentimiento por escrito
del editor.

Derechos reservados:

© 1992, EDITORIAL LIMUSA, S.A. de C.V.
GRUPO NORIEGA EDITORES
Balderas 95, C.P. 06040, México, D.F.
Teléfono 521-50-98
Fax 512-29-03

Miembro de la Cámara Nacional de la Industria
Editorial Mexicana. Registro número 121

Primera edición: 1992
(10237)

ISBN 968-18-4317-7
ISBN 968-18-4321-5 (serie completa)

Esta obra se terminó de imprimir en agosto de 1992
en los talleres de R.R. Donnelley & Sons Company
Book Group 1145 Conwell Avenue Willard, Ohio,
USA 44888-0002

La edición consta de 20,000 ejemplares más
sobrantes para reposición

Introducción

Indudablemente, desde el momento en que decide confeccionar una prenda, usted recurre a su creatividad para seleccionar los patrones, las telas y decidir qué técnicas de costura empleará. Ahora bien, usted puede ampliar esta habilidad natural para ser creativa e intentar cosas nuevas. Por ejemplo, tal vez le gustaría probar novedosos acabados para acentuar las costuras de una prenda, o ¿por qué no?, estampar sus propias telas.

Lo primero que se requiere es inspiración. Las ideas nuevas surgen en todas partes. Este libro ofrece valiosos consejos para que las personas que gustan de confeccionar sus prendas descubran nuevos diseños, texturas y combinaciones de color.

La sección *Telas con originalidad* muestra varias técnicas para cambiar el aspecto y textura, o el diseño mismo de una tela para obtener un efecto novedoso. La tela de seda se puede retorcer con el fin de lograr un aspecto arrugado, o se puede lavar en una solución ácida para darle el aspecto y tacto del ante. La textura de una tela de lana puede cambiar agradablemente lavándola a máquina y secándola, para obtener una lana abatanada más gruesa y compacta que la tela original. También puede hacer un tinte por decoloración o eliminar algo del tinte original, además de que es posible estampar la mayoría de las telas con serigrafía o hasta pintarlas.

En la sección de *Detalles originales* se presentan varias técnicas para lograr costuras de adorno, ya sea con sobrepespuntes, deshilados, ribetes o flecos. Una novedosa manera de hacer costuras, es aprovechar el orillo para lograr el aspecto de un

galón de adorno. También se dan las instrucciones para aumentarle costuras al patrón.

Los ribetes dobles o triples subrayan y destacan las líneas de costura y las orillas. Los bolsillos originales, como los de ventana o de aletilla, hacen lucir más cualquier prenda. También puede hacer bolsillos u ojales triangulares, que no son sino variantes de los tradicionales bolsillos y ojales de sastre.

En la sección de adornos descubrirá cómo algunos toques adicionales, como trencillas, galones y cuentas transforman creativamente las prendas sencillas. Las trenzas, que se hacen al gusto y con gran facilidad, realzan el colorido de una prenda. Los galones y listones que antiguamente se cosían a las prendas, también pueden adornar la moda actual y en esta sección se incluyen dos diseños en donde se aprovechan muy bien. La aplicación de cuentas se ha utilizado muchos años para adornar las prendas y aún se emplea mucho en ropa de noche. En esta obra se incluyeron las técnicas para coserlas tanto a mano como a máquina.

La sección de *Proyectos originales* le ayudará a iniciar su costura creativa, ya que le proporciona instrucciones completas para confeccionar bolsas sencillas con cierres, carteras y cinturones. Estos diseños básicos le brindan la oportunidad de aplicar las ideas que se presentan en este libro.

Dónde inspirarse

El punto inicial de la creatividad es la inspiración, ya sea que trate de escoger un diseño para estampar con serigrafía una tela o determinar la forma de un bolsillo. La inspiración se puede encontrar en cualquier parte si se observan cuidadosamente los colores, formas y texturas que nos rodean. La naturaleza constituye una buena fuente de inspiración, desde las múltiples diferencias en la forma de los árboles, hasta los colores de hojas y flores. Adapte el diseño de un papel tapiz para paredes y haga un esténcil para estampado con serigrafía; tome los colores de un lirio para tejer una trenza o emplee un utensilio de cocina para imprimir un motivo interesante sobre cualquier tela.

Las prendas antiguas o los trajes regionales también pueden servir de inspiración. La forma interesante de un bolsillo, o el diseño único de un cinturón de estas prendas, será un buen complemento para la moda actual.

La inspiración se puede encontrar en múltiples objetos observando los diseños, formas, colores y texturas.

La naturaleza es una buena fuente de inspiración para el color. Por ejemplo, una sola flor tiene muchos matices sutiles.

El papel tapiz para paredes puede inspirar el diseño de una tela. El diseño de peces y conchas se aumentó de tamaño, adaptándolo para obtener los esténciles necesarios para estampar la tela con serigrafía.

Los libros proporcionan una amplia selección de motivos de diseño. Este diseño geométrico se adaptó para el bordado con cuentas en los puños de un traje de noche.

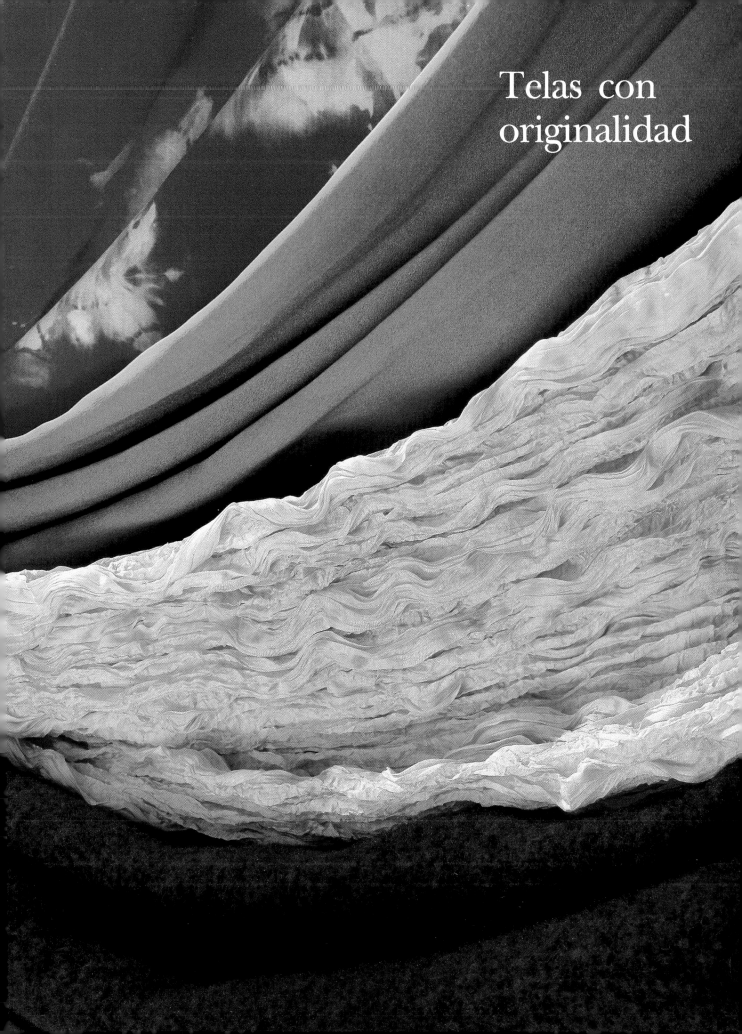

Telas con
originalidad

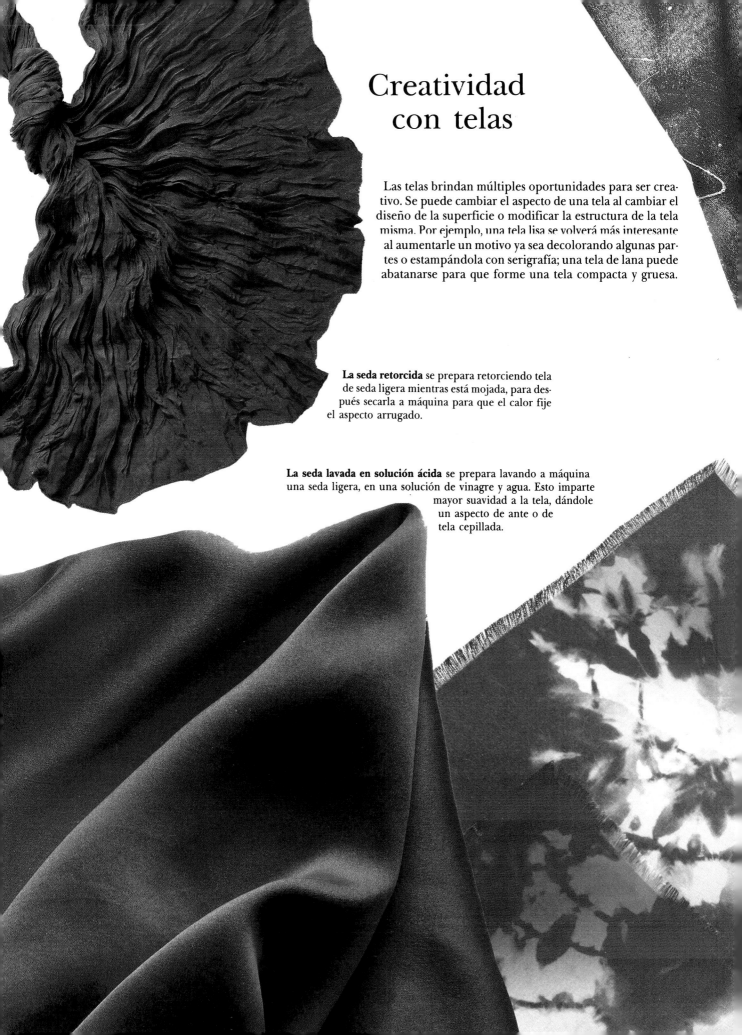

Creatividad con telas

Las telas brindan múltiples oportunidades para ser creativo. Se puede cambiar el aspecto de una tela al cambiar el diseño de la superficie o modificar la estructura de la tela misma. Por ejemplo, una tela lisa se volverá más interesante al aumentarle un motivo ya sea decolorando algunas partes o estampándola con serigrafía; una tela de lana puede abatanarse para que forme una tela compacta y gruesa.

La seda retorcida se prepara retorciendo tela de seda ligera mientras está mojada, para después secarla a máquina para que el calor fije el aspecto arrugado.

La seda lavada en solución ácida se prepara lavando a máquina una seda ligera, en una solución de vinagre y agua. Esto imparte mayor suavidad a la tela, dándole un aspecto de ante o de tela cepillada.

Al estampar la tela o la piel se le añaden motivos de color a la superficie.

El abatanado de la lana modifica su estructura al encogerla considerablemente. El abatanado engruesa la tela, la hace más compacta y cambia la estructura de la superficie.

La decoloración forma un diseño en la tela. Para eliminar algo del tinte se utiliza blanqueador.

El estampado con serigrafía permite crear diferentes motivos en la tela al aplicar tintas que le añaden color.

Seda retorcida

El aspecto de la seda china o de las sedas gruesas se puede modificar al retorcer la tela para darle una textura singular. Primero se remoja la tela en agua tibia y después se retuerce bastante hasta formar una bola. La bola de seda retorcida se seca a máquina y la textura arrugada que se desea se fija con el calor de la secadora.

Una prenda confeccionada con esta tela conserva la textura durante el uso, pero para conservar el aspecto arrugado, cada vez que se lave hay que repetir el proceso de arrugado. Después de lavar la prenda, retuérzala nuevamente para formar una bola y séquela en secadora de ropa o al aire. La prenda se guarda formando una bola, sin colgarla en un gancho. Al viajar, se empacan en la maleta las bolas retorcidas.

Los vestidos de corte recto, túnicas o camisetas rectas son las prendas que se pueden coser con más facilidad al utilizar telas retorcidas y para ello se aprovecha todo el ancho de 1.15 m (45") de la tela. Las instrucciones para confeccionar estas sencillas prendas se proporcionan en las páginas 16 y 17. Si va a confeccionar una mascada o cinturón, puede dar un acabado a las orillas del corte de seda retorcida del largo deseado, con un dobladillo angosto como se indica en la página 17, paso 5.

Cómo preparar la seda retorcida

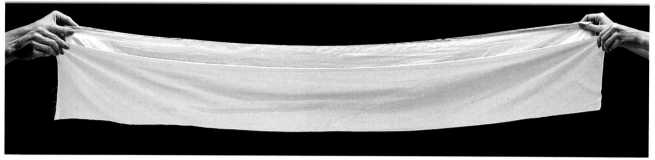

1) Corte los extremos de la tela al hilo transversal de la misma. Remoje la tela en agua tibia hasta que esté completamente mojada y exprima a modo que no chorree. Doble la tela por la mitad a lo largo y que una persona le ayude en el otro extremo y doble de nuevo a lo largo.

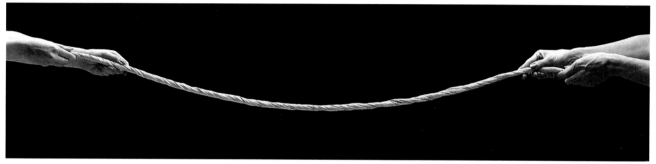

2) Junte en sus manos los extremos de la tela. Retuérzala en direcciones opuestas y saque las burbujas que se formen mientras la retuerce; siga retorciendo hasta que la tela empiece a enroscarse.

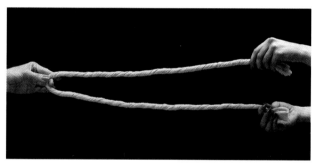

3) Doble la tela por la mitad, una persona sostiene el doblez y la otra los dos extremos.

4) Retuerza la tela lo más apretado que le sea posible hasta que se empiece a enroscar y forme una bola pequeña y retorcida.

5) Envuelva la tela en cordón blanco de algodón, hasta que quede bien sujeta y no se desenrolle. Tenga cuidado de que los extremos retorcidos de la tela queden bajo el cordón.

6) Meta la bola en el pie de una media blanca, para que no se desenrolle. Seque la tela en una secadora junto con toallas ya que éstas absorben la humedad y ayudan a disminuir el ruido. Una bola de 1.85 a 2.75 m (2 a 3 yd) de tela tarda más de tres horas en secarse.

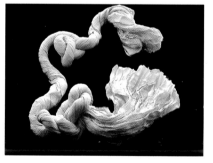

7) Introduzca un dedo en el centro de la bola para ver si ya está seca. Cuando esté completamente seca, destuerza la tela y, si está húmeda al hacerlo, encontrará áreas sin arrugar en la tela ya preparada.

Confección de prendas con seda retorcida

Cuando se desea confeccionar un vestido o blusa sencilla con seda retorcida, se aprovecha todo el ancho de la tela de 1.15 m (45"). Se requiere el doble del largo deseado de seda china o seda gruesa en la prenda terminada, más de 5 a 7.5 cm (2" a 3") por lo que pueda encoger por cada tramo de tela de (0.95 m 1 yd). Prepare la seda retorcida como se indica en las páginas 14 y 15.

La abertura del cuello de la prenda puede cortarse de cualquier forma. Si desea un escote recto u oval, considere alrededor de 28 cm (11") de ancho, o un escote redondo de 21.8 a 24.3 cm (8½" a 9½") de ancho, medidas que dan buenos resultados. Cerciórese de que la abertura del escote es suficientemente amplia para que la prenda se deslice fácilmente sobre la cabeza.

Cómo coser un vestido o blusa con seda retorcida

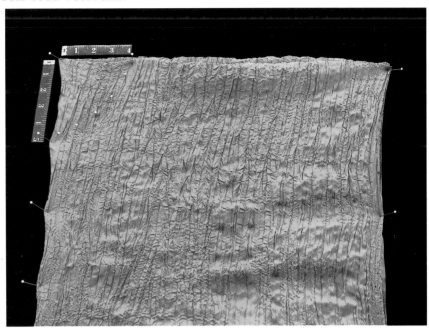

1) Doble la tela por la mitad a lo largo, juntando los lados del derecho, con las orillas cortadas parejas y junte los orillos. Haga las costuras laterales del ancho del orillo, cosiendo desde las orillas cortadas hasta alrededor de 23 cm (9") de la línea del doblez. Los orillos se quedan sin coser en la sisa.

2) Doble la tela por la mitad a lo largo, sobre una superficie acojinada, case las costuras laterales y los dobleces transversales en la orilla superior. Prenda la sisa a la superficie. Estire la tela para alisar las arrugas y prenda. Mida y corte la abertura del escote. Si desea un escote redondo, corte la abertura a 10 cm (4") del doblez central, curvando de 10 a 12.5 cm (4" a 5") más abajo de la línea transversal del doblez en la parte central. Si desea un cuello oval, corte la abertura 14 cm (5½") más abajo de la línea central del doblez.

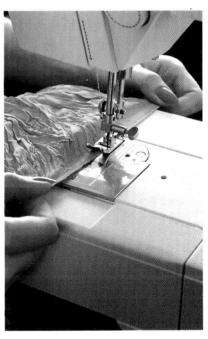

3) Hilvane a 6 mm (¼") de la línea de doblez a la altura de los hombros cosiendo ambas capas de tela. Jale el hilo de hilvanar para plegar las costuras de los hombros. Si se trata de una prenda sin mangas, deje las costuras de los hombros de 11.5 a 12.5 cm (4½" a 5") de largo. Si desea mangas que cubran el hombro, deje la costura de 19.3 a 23 cm (7½" a 9") de largo.

4) Corte un refuerzo para costuras de 2 cm (¾") más corto que la costura del hombro y céntrelo bajo la línea de costura. Cosa el hombro de la prenda por donde cosió para plegar, con puntadas cortas que también sujeten el refuerzo. Sujete las pestañas hacia un lado en la orilla de la manga.

5) Haga un dobladillo angosto a lo largo de la línea del escote y en el dobladillo, con una puntada ancha y corta de zigzag, cosa ligeramente fuera de la orilla de la tela para que la orilla se enrolle.

Seda lavada en solución ácida

Para cambiar el aspecto y tacto o caída de la seda china, la gruesa o la delgada, se puede lavar en una solución ácida hecha con vinagre blanco.

El vinagre le proporciona un aspecto de ante, a la vez que ayuda a fijar el color. Antes de lavar la seda en la solución ácida con vinagre, hay que remojar bien la tela en agua caliente, para que absorba el vinagre uniformemente, lo que da como resultado un color parejo en toda la tela lavada en solución ácida.

La seda tratada de esta manera se puede lavar y secar a máquina y requiere poco o ningún planchado cuando se saca oportunamente de la secadora.

Puesto que las sedas pueden encoger de 5 a 7.5 cm (2" a 3") por cada 0.95 m (1 yd), al calcular la tela para su prenda o proyecto, calcule la tela adicional necesaria.

Antes y después. Antes de lavar la seda en la solución ácida, es tersa y brillante (parte superior). Después, tiene un aspecto mate o de ante y el tacto de la tela cambia (parte inferior).

Cómo lavar seda en solución ácida

1) Remate las orillas cortadas de la tela. Remójela en agua caliente hasta que esté completamente mojada y escurra el exceso de agua.

2) Llene la lavadora con agua caliente a nivel bajo. Agregue 2 tazas (0.47 lts.) de vinagre blanco, agite unos cuantos minutos para disolver el vinagre. Ponga la tela en la máquina y agite durante 12 minutos, para continuar con los ciclos de enjuagado y exprimido necesarios.

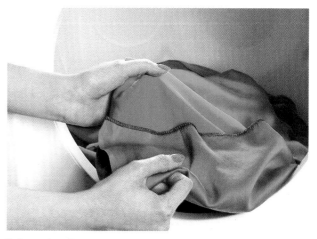

3) Seque la tela a temperatura regular hasta que esté verdaderamente seca. Repita una o dos veces más el proceso de lavado y secado, hasta tener el efecto deseado. Si hace falta planchar la tela, hágalo ligeramente para que no brille.

La falda y la bufanda se hicieron de la tela sin abatanar. El resto de la tela se abatanó para confeccionar la chaqueta.

Lana abatanada

Haga su propia lana abatanada, o
vädmal, como se llama en Suecia.
Para ello compre tela de lana, como
por ejemplo franela de lana. La lana abatanada será más suave y gruesa que la tela
original. La lana abatanada mantiene la forma
sin necesidad de entretelas ni forros y las orillas
cortadas no se destejen ni se deshilachan.

El proceso para obtener la lana abatanada se co-
noce como *enfurtir*. Primero remoje la tela en agua
caliente y jabonosa, para después lavarla a máquina, y
enjuáguela después con agua fría. La forma como la lavadora agita la tela, la fricción de la tela al tallarse entre sí
y el impacto del enjuague con agua fría hacen que las fibras de lana se entrelacen, formando una tela suave y
densa.

Para hacer la lana abatanada, conviene seleccionar
una tela que sea 100% de lana. Las mezclas posiblemente no se abatanen, o los diferentes contenidos
de las fibras se abatanan en diferentes momentos,
haciendo que la tela se frunza. Conviene escoger una tela que tenga una trama claramente
visible y contar el número de hebras en cada 2.5 cm (1 pulg) en la orilla cortada. Las
telas que tienen menos de 24 hebras dan
los mejores resultados, ya que los hilos
se desplazan entrelazándose con mayor facilidad mientras la tela se esté
lavando.

Se recomienda que haga una prueba
del proceso de enfurtido en una muestra de
la tela de lana, lavándola con una carga de ropa, con toallas, para ver cuán bien se abatana. La
tela puede encoger entre 15 y 50% de largo y ancho
durante el proceso de enfurtido. Se puede determinar
aproximadamente lo que la tela encoge midiendo el trozo de prueba antes y después de abatanarlo, para poder calcular la tela que necesitará para confeccionar la prenda.

Al hacer la prueba, conviene apegarse a las instrucciones para
abatanar la lana, ya que le será más fácil obtener el mismo aspecto
y cantidad de encogido en la tela para la prenda.

Antes y después. El tejido de la tela se aprecia claramente antes de abatanar la tela
(parte superior). La lana con tejido en diagonales es la elección tradicional para el
vädmal. Después del abatanado, la tela es más gruesa y compacta (parte inferior). Los tweeds,
las telas listadas y los tartanes pierden su dibujo al abatanarse y el efecto textural de estas telas
es el que destaca el fondo, el cual suele ser opaco.

Cómo hacer una prueba de lana abatanada

Corte un lienzo de tela de lana 100% que mida 30.5 cm (12") de largo por el ancho de la tela. Traslape e hilvane los orillos juntándolos. Remoje el lienzo de prueba en agua jabonosa caliente durante 30 minutos. Lave después la tela con una carga de lavado, como toallas por ejemplo, y séquela, siguiendo las instrucciones para abatanar lo más cuidadosamente que le sea posible (páginas 23 a 25).

2) Mida el largo de la muestra abatanada y divida entre el largo original del lienzo de prueba, 30.5 cm (12").

Cómo determinar la cantidad de tela necesaria

1) Quite las puntadas del hilván y mida el ancho de la muestra. Determine el largo que necesita para acomodar el patrón en este ancho de tela, para ello consulte el sobre del patrón, o acomode las piezas de éste sobre otra tela doblada al ancho de la muestra.

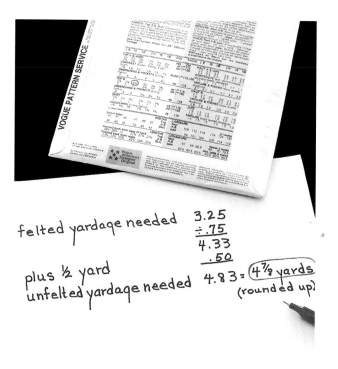

3) Divida lo que necesita del largo del paso 1 entre el resultado del paso 2. Aumente 0.50 m (½ yd.) por el posible ondulado de los extremos cortados. Éste será el largo de tela necesario para hacer el abatanado.

Cómo abatanar lana

1) Haga el acabado en las orillas cortadas de la lana, si lo desea. Traslape e hilvane los orillos juntos para formar un tubo. Esto evita que la tela se enrolle alrededor del agitador de la lavadora, a la vez que disminuye la apariencia ondulada o irregular en las orillas.

2) Remoje la tela durante 30 minutos aproximadamente en agua jabonosa de 42° a 49°C (100° a 120°F). Esto mojará la tela completamente evitando el enfurtido disparejo a la vez que empieza a abrir las fibras de la lana. Escurra el agua y saque la tela.

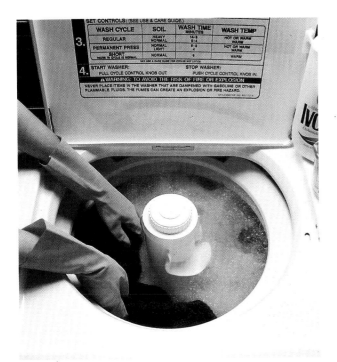

3) Llene la lavadora con agua caliente y ½ taza (119 ml) de jabón líquido. Acomode la tela mojada suavemente alrededor del agitador. Si se trata de una carga pequeña, tal vez deba agregar una toalla para equilibrar la carga. Ponga un filtro de pelusa en el extremo de la manguera de la lavadora para juntar la pelusa.

4) Revise la tela cada cinco minutos mientras dura el ciclo de lavado, exprimiendo un pedazo para revisar la textura. Mientras más tiempo se lave la tela, más gruesa se vuelve. Deje de lavar cuando tenga el aspecto deseado. No abatane demasiado la tela, puede repetir el proceso si desea mayor abatanado.

(Continúa en la siguiente página)

Cómo abatanar lana (continuación)

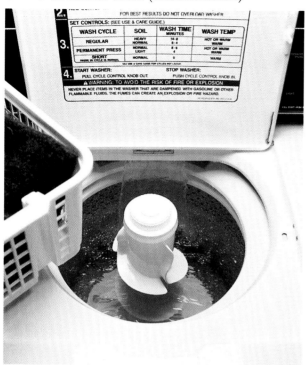

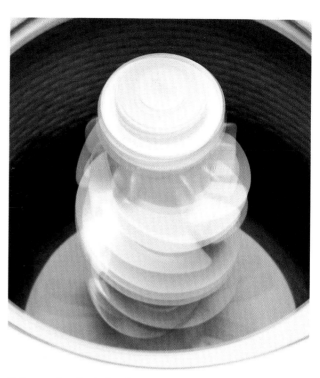

5) Exprima la tela utilizando un ciclo para ropa delicada a modo de que no se fijen las arrugas. Saque la tela de la lavadora mientras el agua fría del enjuague llena la lavadora, ya que el impacto del agua en la tela puede ocasionar un abatanado disparejo.

6) Regrese la tela a la lavadora para un ciclo de enjuague con agua fría. Exprima con un ciclo para ropa delicada durante un minuto o menos, a fin de eliminar la mayor parte del agua sin causar arrugas permanentes.

7) Saque la tela de la lavadora inmediatamente y quítele las puntadas del hilván.

8) Sacuda la tela. Quite las arrugas jalando fuertemente la tela varias veces.

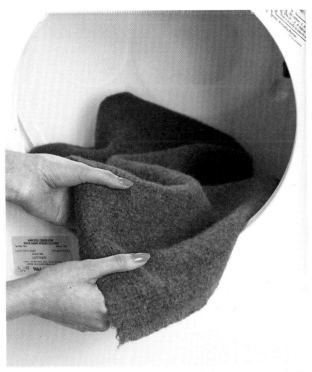

9) Seque la tela a máquina con el control de temperatura bajo cuando desee mayor abatanado, revise frecuentemente la tela para evitar que se abatane demasiado. También la puede poner a secar en un tendedero muy acolchado.

10) Planche la tela por ambos lados cuando esté casi seca al tacto, utilizando mucho vapor para hacerlo. Utilice un paño para planchar o una placa protectora para evitar que la tela se queme y no hacer brillar la superficie de la misma. El planchado ayuda a estabilizar la tela y alisar las arrugas.

11) Recorte los orillos de la tela abatanada cuando se vean ondulados a lo largo. Si la tela está muy abatanada, posiblemente el orillo no encoja tanto como la tela, lo que origina un aspecto ondulado. Planche la tela por las orillas una vez que cortó el orillo.

12) Cuelgue la tela bien planchada durante 12 horas para que se seque completamente. La tela conserva mucha humedad aún después de plancharla.

Confección de prendas con lana abatanada

Cuando se cosa una prenda con lana abatanada, escoja un patrón de diseño sencillo. Evite los modelos con pinzas, pliegues o frunces ya que la tela es gruesa. La lana abatanada puede estirarse un poco, haciendo que la prenda señale el contorno del cuerpo. Si desea evitar esto, tendrá que forrar la prenda.

Para cortar con precisión, debe acomodar el patrón sobre una sola capa de la lana abatanada cortando en una sola vez cada pieza del patrón conforme sea necesario.

Para coser la lana abatanada, se requiere una aguja 90/14 o una 100/16. Si la prenda lleva costuras decorativas y acabados en las orillas, utilice hilo para sobrepespunte, hilaza o estambre ligero o cualquier otro hilo de adorno.

Las costuras convencionales (*a*) se unen juntando el derecho de las dos piezas y planchándolas abiertas, frecuentemente se utilizan para obtener una apariencia profesional, aunque estas costuras suelen ser demasiado voluminosas para las telas muy abatanadas. En las costuras convencionales que se

adornan con trencilla (*b*), las costuras se hacen revés con revés, cubriendo las orillas cortadas con un ribete, tal como una trenza (páginas 88 y 89). Como las costuras quedan cubiertas por el interior, esta manera de hacerlas resulta especialmente adecuada para prendas sin forro.

Las costuras traslapadas (*c*) son menos voluminosas que las convencionales y tienen un aspecto deportivo.

Los acabados con sobrepespunte (*d*) se utilizan generalmente con las costuras traslapadas, ya que ofrecen un aspecto similar.

Si desea eliminar volumen, puede coser cuellos y puños de una sola capa de tela. El cuello y puños se unen a la prenda utilizando costuras convencionales o traslapadas. Las orillas exteriores se acaban con sobrepespunte.

Cómo hacer costuras convencionales

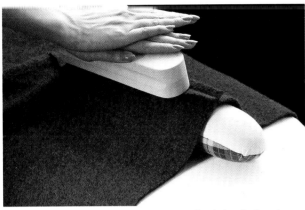

Sin ribete de trencilla. Haga la costura, poniendo la tela derecho con derecho. Aplane la costura planchándola con vapor, abra la costura sobre un brazo de sastre. Proteja la tela poniéndole a la plancha una placa protectora o un paño para planchar. Ponga un aplanador de costuras sobre la costura y presione fuertemente. Mantenga la presión hasta que la tela esté fría y seca.

Con ribete de trencilla. Haga la costura juntando los lados del *revés* de la tela y planche (izquierda). Recorte las pestañas de costura y cúbralas con el adorno de trencilla. Cosa la trencilla a mano, acabando las orillas (página 89).

Cómo hacer una costura traslapada

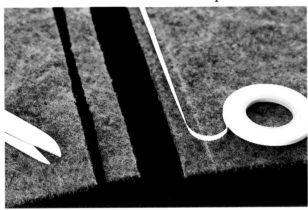

1) Corte la pestaña de costura de la sección de la prenda que traslape. Marque la línea de costura por el derecho de la sección inferior del traslape ya sea con greda o pluma soluble en agua. Ponga cinta para hilvanar en la pestaña de costura.

2) Alinee la orilla de la sección que traslapa a la línea de costura que marcó. Cosa cerca de la orilla, a través de todas las capas. Quite la cinta para hilvanar. Cosa de nuevo a 6 mm (¼") de la primera hilera de puntadas. Recorte la pestaña sobrante en el interior de la prenda.

Cómo coser una orilla con sobrepespunte

1) Voltee hacia el revés la costura o la pestaña y planche. Cosa apenas a 1 cm (⅜") del doblez que planchó y cosa de nuevo cerca de la orilla.

2) Recorte el sobrante de la costura o la pestaña en el revés de la prenda.

Tinte por decoloración

El tinte por decoloración quita el color de la tela. Esto da como resultado una tonalidad más clara del color original de la tela, aunque también puede dar un color enteramente diferente. Los motivos se logran eliminando el tinte en ciertas áreas de la tela y dejando el color original de la tela en el resto de ésta. En algunas telas, el tinte no se decolora bien, haciendo que haya muy poco cambio en el color, o ninguno.

Una técnica para desteñir o quitar el color de la tela requiere el uso de una solución líquida de una parte de cloro para uso como blanqueador doméstico por cinco partes de agua. La tela se sumerge en esta solución hasta que cambia el color.

Otra técnica utiliza una pasta decolorante preparada con un blanqueador de cloro y agua, con polvo de *Managum*^{MR}, que se consigue en los establecimientos que venden materiales para teñido. La pasta se aplica a la superficie de la tela como si se pintara, o mediante un bastidor de serigrafía.

Para cualesquier de las dos técnicas, hay que neutralizar el blanqueador después de desteñir o sacar el color, para evitar que las fibras se dañen en exceso. El decolorante se neutraliza empapando la tela en una solución de una parte de vinagre blanco por dos partes de agua. Después se procede a lavar la tela con detergente para lavandería que no contenga agentes blanqueadores.

La mayoría de telas 100% de algodón, rayón o lino se prestan para este tinte por decoloración, pero esto no se puede hacer con telas de seda ni lana porque se deterioran. No utilice mezclas de telas porque es sumamente difícil eliminar el tinte de las mezclas.

Haga una prueba del proceso de decoloración en muestras de varias telas para saber qué telas contienen tintes que decoloran, así como para ver si le agrada el color resultante. Para hacer una prueba rápida en una tela, aplique una pequeña cantidad de blanqueador sin diluir. En unos cuantos minutos cambiará el color de la tela. Si no es así, aplique un poco más de blanqueador y, si la tela se seca antes de que cambie el color, no es un material adecuado.

Aunque el blanqueador es un producto de uso común en el hogar, es un producto químico tóxico que se debe utilizar cuidadosamente. Utilice utensilios y recipientes de cristal o de un plástico durable que no se empleen para alimentos. Aplique el blanqueador en una habitación bien ventilada, procurando que la corriente de aire no sea hacia usted.

La tela de la falda se decoloró con una solución decolorante líquida.

El tiempo necesario para extraer el tinte depende de la clase de tela y el cambio de color que se desee. Se puede obtener una gradación de colores al variar el tiempo que la tela se queda en la solución decolorante.

La tela de la chaqueta se decoloró con pasta decolorante.

Tinte por decoloración utilizando una solución decolorante líquida

Para eliminar el tinte de una tela, sumerja el material en una solución decolorante hecha con una parte de blanqueador de cloro y cinco partes de agua, a temperatura ambiente. Utilice un recipiente de plástico resistente o uno de cristal, lo suficientemente grande para que la tela se mueva libremente al agitarla. Mezcle una cantidad suficiente de la solución para cubrir completamente la tela en el recipiente.

Para formar un diseño en la tela, antes de sumergirla en la solución decolorante debe lavarla y, utilizando bandas de hule, atarla en la forma que desee. Tal vez experimentar con distintos tamaños de bandas, ya que las largas y gruesas forman diferentes efectos que las pequeñas y delgadas. Las muy anchas, que se consiguen con los proveedores de productos médicos, también dan buenos resultados.

También puede formar su diseño haciendo a la tela un hilván para plegarla. La tela se frunce jalando las diferentes hileras de hilvanes y la colocación de las puntadas determina el diseño que se obtiene.

El aspecto final del diseño depende del tiempo que se deje la tela en la solución decolorante. Si saca la tela antes de que se mojen bien los dobleces interiores de la tela, se obtendrá mayor variación en el color de la misma. Tenga presente que la tela se ve más clara una vez que se seca.

Después de la decoloración, hay que neutralizar el blanqueador para evitar que dañe excesivamente las fibras. Para esto remoje la tela en una solución neutralizante de una parte de vinagre blanco y dos partes de agua, para posteriormente lavar y enjuagar perfectamente la tela.

Cómo hacer un tinte por decoloración con solución decolorante líquida

Solución decolorante

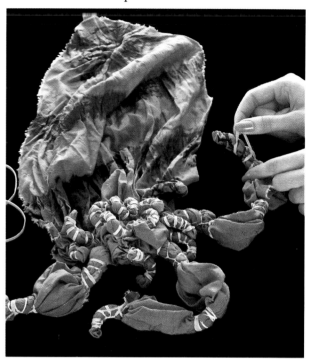

1) Lave previamente la tela para quitarle el apresto y seque a máquina. Ate la tela (páginas 32 y 33). Moje bien la tela con agua limpia y exprima suavemente el agua sobrante. Mezcle la solución decolorante, página opuesta. Cuando sumerja la tela en la solución use guantes de hule y mueva suavemente la tela durante el tiempo necesario, página opuesta.

2) Enjuague la tela perfectamente con agua limpia fría, manejándola con cuidado ya que la tela es menos resistente cuando está mojada. Quite el agua sobrante. Quite las bandas de hule o los hilos de los pliegues.

Solución neutralizante

3) Mezcle la solución neutralizante como se indica en la página opuesta. Remoje la tela en la solución por lo menos durante ½ hora, moviéndola ocasionalmente para cerciorarse de que la solución penetra todas las fibras. Exprima suavemente la solución sobrante. Enjuague con agua fría.

4) Lave la tela perfectamente con agua caliente, utilizando un detergente suave para lavado que no contenga agentes blanqueadores. Enjuague perfectamente. Neutralice y lave la tela de nuevo si es que huele a blanqueador. Si la tela huele a vinagre, lávela de nuevo. Seque en el tendedero o a máquina.

Cómo atar la tela con bandas de látex o ligas de hule

Diseño circular. 1) Ate la tela desde el centro, envolviéndola con ligas de hule o tiras de látex alrededor de la tela, retorciendo desde el mismo lado del atado.

2) Siga atando la tela irregularmente, o siguiendo el patrón deseado. Quite el tinte utilizando una solución decolorante líquida (páginas 30 y 31) o una pasta decolorante (páginas 34 y 35).

Diseño con tela plegada en forma de acordeón. 1) Doble la tela seca con pliegues de acordeón. Envuelva tiras de hule o ligas alrededor de la tela doblada. Decolore con solución líquida decolorante (páginas 30 y 31) o pasta para decolorar (páginas 34 y 35).

2) Doble la tela seca de nuevo en dirección opuesta, con pliegues de acordeón, si es que desea mayor claridad en la tela. Envuelva la tela como en el paso 1 a la izquierda. Decolore otra vez utilizando solución líquida decolorante (páginas 30 y 31) o pasta decolorante (páginas 34 y 35).

Cómo atar la tela con hilván para plegar

Diseño ondulado 1). Cosa líneas onduladas, al azar o siguiendo un diseño y hágalas con hilván.

2) Jale los hilos para fruncir la tela y anúdelos. Quite el color utilizando una solución líquida decolorante (páginas 30 y 31) o una pasta decolorante (páginas 34 y 35).

Diseño de rombos. 1) Doble la tela a lo largo por la mitad y acomode la plana sobre una superficie acolchada para planchar. Forme pliegues de acordeón parejos y dóblelos; plánchelos ligeramente.

2) Hilvane a mano haciendo triángulos uniformemente espaciados en los dobleces, tomando todas las capas con el hilo y procurando que cada triángulo mida la mitad del ancho de la tela doblada. Deje hilos sueltos en la orilla de los triángulos y anúdelos después de envolverlos alrededor de los triángulos ya fruncidos. Quite el color utilizando solución decolorante líquida (páginas 30 y 31) o una pasta decolorante (páginas 34 y 35).

Tinte por decoloración utilizando pasta decolorante

Cuando se desea eliminar el color de una tela en áreas específicas, se puede usar una pasta decolorante que se prepara mezclando polvos de *Monagum*^{MR}, agua y un blanqueador de cloro. Resulta más fácil controlar el sitio exacto en que se obtiene la decoloración que cuando se utiliza la solución de decolorante líquido, lo que le permitirá un mejor diseño.

Mezcle tres cucharadas (45 ml) de *Monagum*^{MR} en polvo con 1 taza (0.25 l) de agua caliente y déjela reposar durante media hora hasta que la pasta espese y se aclare. Agregue a esta pasta el blanqueador de cloro, una cucharadita a la vez, hasta obtener la concentración deseada. Cerciórese de que la pasta le alcance aplicándola a los retazos de tela, después de añadir cada cucharadita de blanqueador para así saber la rapidez con que sale el tinte. Mientras menos blanqueador agregue a la pasta, menos se maltrata la tela.

La pasta decolorante se puede utilizar a temperatura ambiente, aunque hay que tener presente que si el tinte tiende a decolorar muy rápido, hay que refrigerar la pasta para disminuir el tiempo de reacción.

Cuando la pasta tenga la concentración necesaria, revise la consistencia. La pasta adelgaza un poco cuando le agrega el cloro pero, si todavía está muy espesa, puede adelgazarla agregando una pequeña cantidad de agua.

La pasta decolorante se puede aplicar a telas que hayan sido atadas (páginas 32 y 33).También puede utilizar técnicas de estampado con pantalla (páginas 42 a 47) para aplicar la pasta decolorante.

Después de decolorar, hay que neutralizar el blanqueador para evitar que las fibras de la tela se dañen en exceso. Esto se hace remojando la tela en una solución neutralizante de una parte de vinagre blanco y dos partes de agua.

Cómo decolorar con pasta decolorante

Anudado. 1) Mezcle la pasta decolorante como se indica en la página opuesta. Lave previamente la tela para eliminar el apresto y séquela a máquina. Haga el atado con ligas o hilvanes para plegar (páginas 32 y 33). Aplique la pasta decolorante en la superficie de las áreas atadas, o a la tela entre los atados.

2) Deje que la pasta actúe hasta que obtenga el color deseado, pero tenga presente que el color es más claro en la tela seca. Enjuague bien la tela con agua corriente, dejando que ésta arrastre la pasta. No talle. Exprima el exceso de agua.

3) Quite las ligas o los hilvanes de los pliegues, manejando la tela con cuidado ya que es menos resistente cuando está mojada. Neutralice, lave y seque como se indica en la página 31, pasos 3 y 4.

Estampado con serigrafía. Mezcle una pasta decolorante ligera como se indica en la página opuesta. Lave la tela previamente para eliminar el apresto. Seque a máquina. Prenda la tela en una superficie completamente seca. Estampe como se indica en las páginas 42 a 47. Enjuague como en el paso 2, arriba. Neutralice, lave y seque la tela como se indica en la página 31, pasos 3 y 4.

Estampado sobre telas

Las telas se pueden estampar para agregar un toque artístico a las prendas y accesorios. Las pinturas se pueden aplicar tanto a telas tejidas como a tejidos de punto. Las telas semi-ligeras o pesadas se estampan con más facilidad, porque no se deslizan mientras se les está estampando. Antes de estampar la tela hay que lavarla para quitar el acabado de fábrica. También se puede estampar el cuero suave cuando no se ha encerado la superficie y se le puede dar un acabado de ante, o aplicar técnicas de frotación o repujado.

Se utilizan pinturas para textiles y la aplicación se hace con pinceles sintéticos. Para obtener diferentes diseños, puede utilizar una gran variedad de herramientas para aplicar la pintura, tales como utensilios de cocina o accesorios de costura.

Antes de pintar definitivamente la tela, hay que practicar las técnicas que vaya a utilizar en recortes de tela o en papel. De esa manera desarrolla suficiente confianza al familiarizarse con materiales y técnicas.

La superficie de trabajo se protege cubriéndola con una hoja de plástico. Si está adornando una prenda ya terminada, tal como una playera, también puede poner plástico entre el frente y espalda de la prenda para evitar que la pintura penetre ambas capas.

Las pinturas que se fijan con calor vienen acompañadas de las instrucciones del fabricante, que hay que seguir. La mayoría de procesos de fijación por calor requieren una temperatura de 163ºC (325ºF) durante tres minutos, para eliminar toda la humedad de la pintura. Por lo general, la pintura se fija con calor planchando la parte en que se aplicó. Si se trata de cuero, utilice una plancha seca y un trapo de planchar o papel estraza. Para artículos como zapatos y bolsos, deje que sequen al aire y fije después la pintura con una secadora de pelo. Después de fijar la pintura con calor, utilice el método de cuidado que se recomienda para la tela.

Las cortinas de la regadera se pintan para complementar el esquema de colores del baño.

Las telas repelentes al agua, como las de un paraguas, se pintan con esmalte de base acuosa. Revise las indicaciones acerca de la tela en la etiqueta.

Los accesorios como bolsos de mano se pintan para destacar conjuntos especiales.

Cómo repartir un motivo de diseño en toda la tela

1) Moje el pincel de abanico. Séquele el agua sobrante en una esponja o toalla de papel. Acomode las cerdas a modo que el abanico se separe en pequeños dedos. Humedezca alrededor de 6 mm (¼") de las cerdas en la pintura, cuidando que las cerdas permanezcan separadas.

2) Dé varias pinceladas en la tela de aproximadamente 2.5 cm (1") de largo aplicando una *ligera* presión y utilizando un solo color de pintura. Humedezca de nuevo el pincel conforme lo vaya necesitando y cambie la dirección de las pinceladas según lo desee.

Cómo estampar una tela con un diseño repartido irregularmente

1) Moje el pincel de abanico. Séquele el agua sobrante en una esponja o toalla de papel. Cubra el pincel de pintura. Haga pinceladas largas y curvas de 7.5 a 12.5 cm (3" a 5") de largo.

2) Lave el pincel. Utilice el segundo color de pintura y de pinceladas curvas de aproximadamente 5 cm (2") de largo, con el mismo método que en los pasos 1 y 2 indicados arriba.

3) Lave el pincel. Aplique otro color de pintura dando menos pinceladas que con el primer color.

4) Repita el paso 3 para cada color que utilice. Al poner varias capas encimadas en el diseño, logrará más profundidad.

3) Aplique un tercer color utilizando un pincel mediano redondo. De pinceladas pequeñas, curvas, de alrededor de 2.5 cm (1") de largo y encime algunas de las pinceladas.

4) Utilice la herramienta *Monoject*^{MR} para agregar líneas ondulantes, como las de la página 40. Moje la punta de madera del pincel en un color diferente de pintura y póngale puntos aislados a la tela.

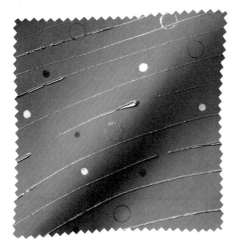

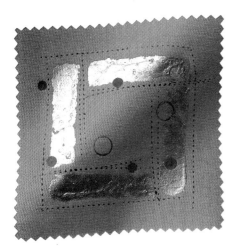

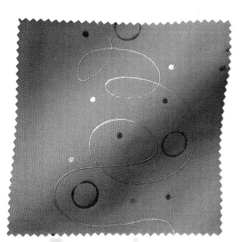

Técnicas creativas para estampar

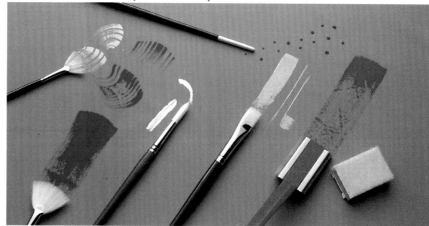

Los pinceles de diferentes clases y tamaños se utilizan para crear diferentes efectos. También se logran diversos estampados cambiando el tamaño de las pinceladas y el número de repeticiones.

Con esponjas es posible estampar muchos diseños. Utilice esponjas previamente cortadas con tijeras o con cuchillas afiladas. Humedezca la esponja en la pintura. Quite la pintura sobrante con espátula o brocha.

La herramienta *Monoject*^MR se utiliza para hacer diversas espirales. Introduzca la punta #412 del *Monoject* en 2.5 cm (1") de pintura y jale el émbolo para succionar la pintura dentro del tubo, llenándolo hasta la cuarta parte. Limpie la punta. Sostenga la punta suavemente sobre la tela y sujete el tubo como se indica en la ilustración. Utilice sólo una *ligera* presión para sacar la pintura y para controlar el flujo de la pintura, haga líneas ondulantes al principio y final del trazo.

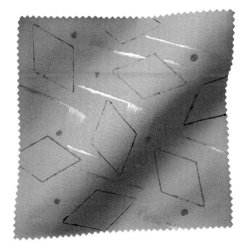

Los utensilios de cocina también se pueden utilizar como los batidores de alambre, tenedor para fideos, cuchilla de repostería y cortadores de galletas. Doble la parte inferior del batidor para imprimir espirales planas. Después de utilizar los utensilios para pintar, no los vuelve a emplear en la cocina para preparar alimentos.

Los accesorios de costura como la carretilla de marcaje, carretes, dedal y sujetadores de carretes para overlock, también pueden ser muy útiles. Aplíqueles poca pintura. Al usar la carretilla, cubra toda la ruedita con pintura.

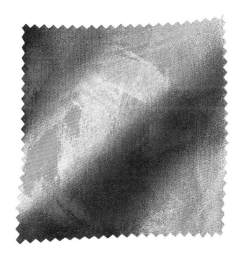

Las almohadillas para pintar se utilizan para diseños jaspeados. Ponga un poco de pintura en el extremo de una almohadilla húmeda. Aplique la pintura golpeando ligeramente la tela, haciendo esto hasta que la almohadilla esté seca. Para atenuar el trazo, emplee de nuevo la almohadilla pasándola sobre los trazos y deje secar. Repita utilizando otros colores de pintura si así lo desea, mezclando los colores con los del fondo para obtener el efecto discreto deseado. Utilice primero los colores más brillantes.

Serigrafía

El estampado con serigrafía permite usar los más diversos motivos y diseños. En esta técnica, la tinta se hace pasar a través de una fina malla (a menudo de organza) para teñir la tela. Los diseños bien marcados y claros son los que se estampan mejor. Es indispensable practicar el estampado con serigrafía en telas de prueba para familiarizarse con las técnicas y los materiales.

Para este tipo de estampado se utiliza un tipo especial de malla. Los bastidores se hacen fácilmente con 4 tiras de madera para el marco y malla de poliéster. En el bastidor se acomoda una plantilla o estécil de *Con-Tact*^{MR}, vinilo autoadhesivo. Al aplicar la tinta a la pantalla pasa por la parte calada de la plantilla.

Utilice tintas para estampado sobre tela con base acuosa, que sean transparentes u opacas. Siga las instrucciones del fabricante cuando desee fijar con calor los diseños permanentes que resistan bien el lavado con agua o en seco.

MATERIALES NECESARIOS

Para hacer el bastidor:

Cuatro tiras de madera para el marco que midan por lo menos 12.5 cm (5") más que el dibujo.

Malla de poliéster de 10xx.

Masking tape: cinta canela (o papel engomado) de 5 cm (2") de ancho, engrapadora para trabajo pesado y grapas de 6 mm (¼").

Para estampar la tela:

Vinilo autoadhesivo *Con-Tact*^{MR}, cuchilla afilada y tapete para cortar.

Tintas para textiles con base acuosa que sean transparentes u opacas, en cantidad suficiente para todo el proyecto.

Tela previamente lavada, cortada al tamaño deseado y planchada.

Rasero de 1.3 cm (½") más angosto que la medida interior del marco.

Hojas de plástico suficientemente grandes para proteger el área de trabajo, papel periódico, toallas de papel y toallas para manos.

Los diseños pueden ser adaptaciones de la cenefa de un papel tapiz o de cualquier otro objeto para coordinar los accesorios, tales como la colchoneta y la persiana. El tamaño del diseño se puede modificar aumentándolo, mediante una fotocopia. Combine los motivos grandes y los pequeños para darle mayor atractivo a la labor.

Cómo hacer un bastidor para serigrafía

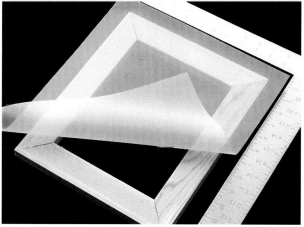

1) Haga el marco del bastidor con las tiras de madera, cerciorándose de que las esquinas ajusten perfectamente y estén en escuadra. Corte la malla 2.5 cm (1") más grande que el marco en los cuatro lados. Centre la malla sobre el marco, alineando el hilo longitudinal y transversal de la malla con los lados del marco.

2) Ponga masking tape a la malla de modo que quede alrededor de 1.3 cm (½") de las orillas exteriores del marco. Alise la cinta presionando desde el centro del marco hacia las orillas.

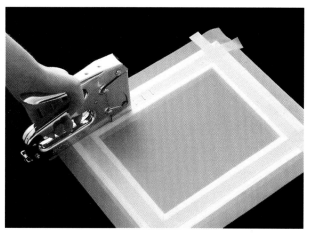

3) Engrape la malla en un costado del marco a través del masking tape, trabajando del centro hacia las orillas; coloque las grapas perpendiculares a la orilla del marco o en una ligera diagonal.

4) Engrape la malla en el lado opuesto del bastidor, jalándola para que quede bien estirada. Repita en los otros dos lados. Engrape las esquinas.

5) Recorte la malla sobrante. Aplique cinta canela o cinta adhesiva ahulada sobre el masking tape y las grapas, envolviendo los costados del marco.

6) Pegue cinta canela o de papel engomado en la parte superior del bastidor para formar un canal. Procure que la cinta cubra alrededor de 1.3 cm (½") de la malla y el resto que cubra el marco. La plantilla o el esténcil debe caber dentro del área enmarcada.

Cómo preparar el motivo para serigrafía

1) Dibuje o fotocopie el diseño que desea. El motivo puede aumentarse o disminuirse en una fotocopiadora.

2) Copie el diseño sobre el refuerzo de un vinilo autoadhesivo; procure trabajar en un lugar bien iluminado, como una mesa con una lámpara o cerca de una ventana.

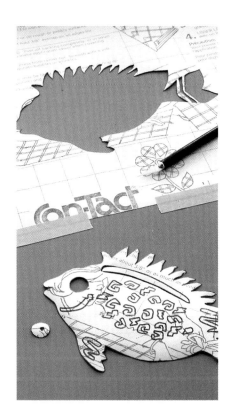

3) Corte el vinilo autoadhesivo siguiendo las líneas del diseño con una cuchilla afilada.

4) Desprenda cuidadosamente el refuerzo y pegue el cuadro de vinilo en la parte de abajo del bastidor, también cubra con el vinilo el borde de papel canela en el marco. Coloque los detalles calados, si los hay.

5) Voltee el bastidor y presione firmemente sobre la malla, cuidando que las orillas cortadas de la plantilla queden bien pegadas.

Cómo estampar la tela con serigrafía

1) Cubra con plástico el área de trabajo, incluyendo la mesa y el piso. Si lo desea, haga un tendedero para secar sus estampados.

2) Acomode una toalla en la mesa sobre el plástico; la superficie acojinada le ayuda a obtener mejores estampados. Ponga una hoja de papel periódico sobre la toalla y sobre éste, la tela con el derecho hacia arriba. Acomode el bastidor sobre la tela.

3) Ponga de 2 a 3 cucharadas (30 a 45 ml) de tinta a lo largo de la orilla o a lo largo de la película de vinilo, junto al diseño. Con una presión firme y uniforme, lleve la cinta de un extremo a otro del bastidor de modo que quede bien distribuida. Si pasa demasiadas veces el rasero, la cinta se acumula sobre la tela. Si no lo pasa suficiente, el motivo queda disparejo e incompleto.

4) Levante suavemente el bastidor, sólo un poco, cuidando que la tinta no escurra hacia la tela. Saque la tela con cuidado. Entre una y otra impresión, recargue el bastidor de modo que una orilla quede ligeramente elevada y deje el rasero en una tapa o soporte. Ponga a un lado la tela estampada para que seque o cuélguela en un tendedero.

Cómo limpiar el bastidor

Malla obstruida. Limpie suavemente la parte superior del bastidor con un pañuelo facial seco, si es que la impresión está dispareja o incompleta.

Limpieza final. Quite la plantilla y lávela en cuanto acabe de estampar. Use para ello un trapo suave. Lave la plantilla y fíjela en un papel encerado para usarlo posteriormente, si lo desea.

La impresión está despareja o incompleta. Posiblemente pasó mucho tiempo entre un estampado y otro, o tal vez la tinta estaba demasiado espesa, lo cual obstruyó la malla. Adelgace la tinta, si es necesario, siguiendo para ello las instrucciones del fabricante. Limpie el bastidor como se indica en la página opuesta.

La tinta penetra en las orillas del diseño. La tinta se adelgazó demasiado, o la plantilla no estaba firmemente pegada a la malla en los bordes del diseño.

La impresión presenta parches disparejos de color. La tinta no se aplicó uniformemente o el resto no se pasó suficientes veces por la malla.

La tinta se acumuló en la tela. Se utilizó demasiada tinta o el rasero se pasó demasiadas veces por el bastidor.

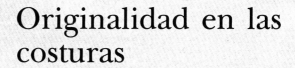

Originalidad en las costuras

Las costuras son indispensables en todas las prendas, pero también brindan la oportunidad de ser creativa. Las prendas comunes se convierten en prendas exclusivas con técnicas de costura poco comunes. Estas técnicas creativas se pueden utilizar en las costuras ya consideradas en un patrón, o en costuras que se aumenten a la prenda (página 62).

Haga las costuras de manera que las pestañas queden en la parte exterior de la prenda y después deshiláchelas o hágales un fleco como adorno. También puede planear la disposición del orillo a lo largo de una costura y traslape de modo que el orillo se vea. Otra alternativa es utilizar una tela contrastante como ribete, ya sea para costuras traslapadas o ribeteadas.

Las costuras deshilachadas (izquierda) se cosen juntando ambos reveses de la tela y después se deshilacha la tela y se lava para obtener un efecto texturado.

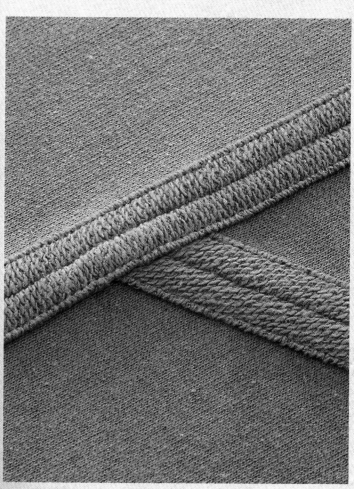

Las orillas con sobrepespunte dejan que se vea el revés de una tela reversible, lo que ofrece un interesante contraste a lo largo de las líneas de las costuras; después de coserlas, se voltean las pestañas hacia abajo y se fijan con un sobrepespunte.

Las orillas con fleco ofrecen una textura interesante a lo largo de las líneas de costura. Las costuras al hilo de la tela se hacen uniendo ambos reveses de la tela, la que después se deshilacha para formar el fleco.

Las costuras traslapadas con los orillos visibles, ofrecen el aspecto de un galón que armoniza. Este acabado se emplea en telas con orillos atractivos.

Las costuras ribeteadas y traslapadas se cosen con un biés de tela contrastante.

Costuras deshilachadas como adorno

Para lograr la textura de un deshilachado de adorno en las costuras, hay que lavar y secar la prenda varias veces hasta que las orillas cortadas se ricen y deshilachen.

Este tipo de costura tiene mejor efecto en telas que sean 100% algodón o seda, incluyendo las telas gruesas de estos materiales, franela de algodón y mezclilla, aunque también puede utilizar otras telas lavables a máquina.

Antes de coser la prenda conviene hacer una muestra de costura y lavarla para ver cómo se deshilacha la tela.

Esta misma técnica se puede emplear para hacer ribetes deshilachados aprovechando tiras de telas y estos adornos se hacen de varias capas de tela para darles mayor volumen.

El ribete deshilachado puede ponerse en hileras para lograr un aspecto deportivo.

Cómo hacer una costura deshilachada de adorno

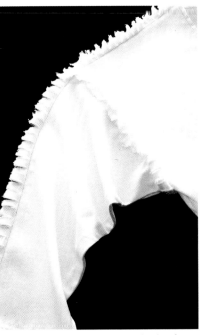

1) Corte las piezas de la prenda dejando el ancho deseado para pestañas de costura, de 1 a 5 cm (³/₈" a 2") de ancho. Al final de cualquier costura que vaya a ser cruzada por otra costura deshilachada, hay que cortar un cuadro del ancho de la pestaña de costura para eliminar el volumen no deseado.

2) Haga las costuras uniendo la tela revés con revés, dejando al mismo nivel las orillas cortadas. Recorte las pestañas de costura y déjelas a 3 mm (¹/₈") de la línea de costura, haciendo los cortes a una distancia de 6 mm a 2.5 cm (¹/₄" a 1") de distancia uno de otro.

3) Lave y seque la prenda a máquina hasta que obtenga el rizado y deshilachado que desea.

Cómo coser los adornos deshilachados

1) Señale las líneas por las que va a colocar el adorno en la pieza de la prenda. Corte de una a tres tiras de tela para cada hilera de adorno, con el largo de cada tira igual al largo de la línea de colocación y de un ancho del doble del ancho del adorno terminado.

2) Acomode las tiras en capas e hilvánelas a lo largo por el centro, atravesando todas las capas. Doble las tiras por la mitad a lo largo y plánchelas. Acomode la tira en la pieza de la prenda, acomodando el doblez sobre la línea marcada. Prenda la tira en su lugar.

3) Cosa a través de todas las capas, cerca del doblez. Quite el hilván. Recorte todas las capas del adorno 3 mm (¹/₈") de la línea de costura. Al hacer los cortes, sepárelos uno de otro entre 6 mm y 2.5 cm (¹/₄" y 1") de distancia. Lave y seque la prenda igual que en el paso 3 de arriba.

Costuras con sobrepespunte

Las costuras con sobrepespunte tiene excelente vista en telas reversibles, ya que la parte interior de la tela queda a la vista en las costuras. Cuando se hace en tela de felpa sin cardar (toalla francesa), las costuras dan un contraste sutil por la textura. En telas de dos vistas, el segundo color en las costuras contrasta aún más. Las orillas con sobrepespunte se cosen con más facilidad si son rectas, aunque también se utiliza si hay curvas ligeras. Si la prenda tiene mangas, seleccione un patrón con efecto raglan o mangas montadas, caídas.

Las jaretas y pestañas para costura o dobladillo se pueden volver hacia afuera de la prenda para hacer el sobrepespunte y coordinar el acabado de las orillas.

Cómo coser una costura con sobrepespunte

Cómo coser un acabado de orilla que armonice

1) Corte las costuras de 1.5 cm (⅝"). En lugar de recortar, señale las muescas y símbolos de confección con una pluma de marcar con tinta soluble en agua, o con gis. Haga las costuras uniendo revés con revés, dejando parejas las orillas cortadas.

2) Planche las costuras abiertas, volteando hacia abajo la tela a la mitad del ancho de toda la pestaña de costura. Planche y prenda en su lugar. En las curvas, cosa a 6 mm (¼") de las orillas cortadas y recorte hasta la línea de costura para mayor facilidad. Haga las puntadas cerca de las orillas dobladas, atravesando todas las capas de tela.

Planche la jareta, la pestaña de costura o la tela para el dobladillo hacia el lado derecho. Voltee hacia adentro la orilla cortada y plánchela. Haga la costura como en el paso 2 a la izquierda.

Costuras con fleco

Las costuras con fleco proporcionan una textura interesante en las costuras. Solamente se utilizan para costuras al hilo de la tela, como canesúes y aletillas, o en la parte central delantera o trasera de una prenda.

Si desea un aspecto coordinado en cuellos, orillas forradas o en costuras ocultas, puede coser un fleco de la misma tela tanto en una costura curva como en una recta.

Haga fleco en un pequeño trozo de tela, para probar antes de confeccionar la prenda, ya que la trama y la urdimbre de la tela (hilo transversal o longitudinal) frecuentemente son de diferente peso o color, y esto hará que el fleco se vea diferente en una u otra dirección. Tal vez le llamen la atención los diferentes aspectos del fleco o quizá decida ponerle fleco únicamente a las costuras que van en la misma dirección.

Ribete con fleco, hecho con tiras de la misma tela. Se inserta en las costuras ocultas, a fin de proporcionar un efecto decorativo. Si desea un efecto de mayor volumen, ponga juntas dos tiras de tela.

Cómo coser una costura con fleco

1) Corte la prenda, dejando pestañas de costura de 2 cm (³/₄"). Haga la costura, uniendo revés con revés y dejando parejas las orillas cortadas. Planche la costura hasta dejarla plana.

2) Recorte la pestaña de costura a la que no se le va a hacer fleco dejándola de 3 cm (¹/₈").

3) Planche la pestaña sobre la que recortó, dejándola de 2 cm (³/₄"). Haga un sobrepespunte a 6 mm (¹/₄") de la línea de costura, con una puntada corta.

4) Deshilache los hilos de la orilla cortada hasta el sobrepespunte; para facilitar el deshilachado, haga cortes cada 15 cm (6").

Cómo coser un vivo con fleco en una costura oculta

1) Corte una tira de tela al hilo, procurando que el largo de la tela sea igual a un largo de la línea de costura y el ancho, igual al del fleco ya terminado más 1.5 cm (⁵/₈") de pestaña de costura.

2) Inserte una tira entre la sección de la prenda y la vista, alineando las orillas cortadas. Haga la costura usando puntada corta. Desvanezca y recorte las pestañas de costura.

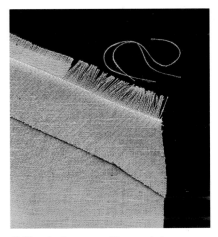

3) Planche la costura. Haga un bajopespunte en la costura de la vista, cuidando de no coser la tira mientras cose. Recorte la pestaña hasta la costura cada 15 cm (6"). Deshilache los hilos hasta la línea de costura.

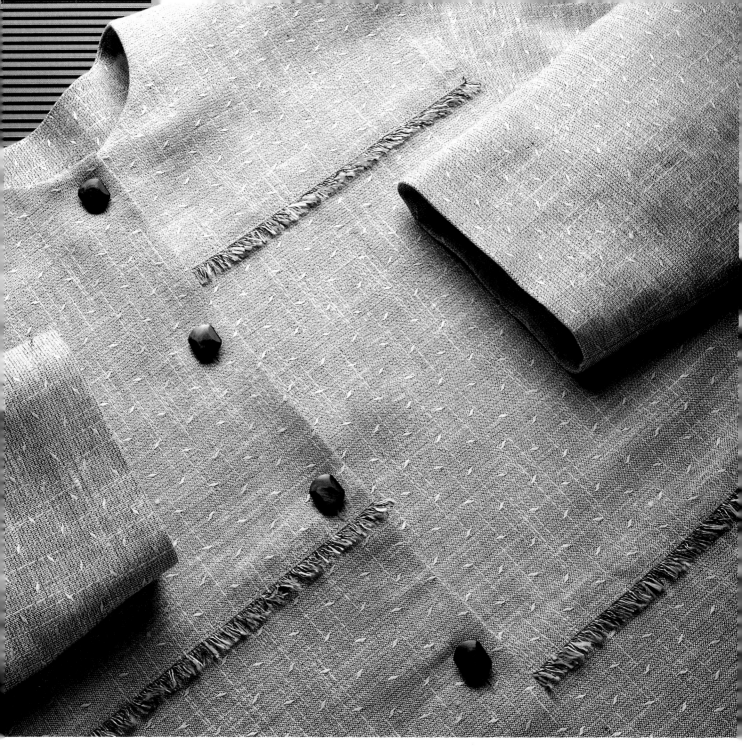

Costuras traslapadas con orillo visible

Algunas telas tienen orillos atractivos que tal vez desee aprovechar como ribete. Los orillos visibles se pueden destacar para acentuar las costuras existentes así como las que usted puede aumentarle a un patrón (página 62).

Este método está limitado a costuras u orillas rectas, cortadas al hilo longitudinal de la tela. Al cambiar el hilo de la tela se podrá utilizar para costuras verticales, horizontales o diagonales.

Si desea el acabado con el orillo en un dobladillo recto, abertura central al frente o borde de un bolsillo, elimine la pestaña y ponga la línea de costura o dobladillo en el orillo cuando corte el patrón.

Encoja previamente la tela para ver si el orillo se encoje más que la tela, haciendo que se jale y se frunza. Haga lo mismo con telas lavables, siguiendo las instrucciones recomendadas para el cuidado de la tela. También debe pre-encojer la tela que requiera lavado en seco, que puede hacer vaporizando la tela uniformemente con una plancha de vapor y dejándola secar por completo en una superficie plana.

Los orillos pueden tener un efecto de deshilachado y tener hilos que contrasten o que coordinen.

Cómo hacer una costura con orillo visible

1) Corte una pieza de la prenda guiándose por el orillo y eliminando la pestaña. Si desea orillos con fleco, el fleco puede extenderse más allá de la línea de costura. Las otras piezas se cortan con una pestaña de 1.5 cm (⅝"). Esta pestaña traslapada por la parte inferior al orillo. Señale las muescas utilizando greda o tinta soluble.

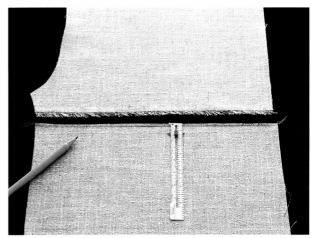

2) Señale la línea de costura de la sección que traslapa por la parte inferior a 1.5 cm (⅝") de la orilla cortada. Acabe las pestañas de costura que traslapa por la parte inferior.

3) Acomode el orillo alineándolo con la línea de costura que marcó y préndalo en su lugar. Haga el sobrepespunte a través del orillo y del traslape inferior.

Costuras ribeteadas y traslapadas

Para adornar algunas o todas las costuras de una prenda, puede utilizar ribetes. El método de traslapar las costuras que se van a ribetear hace que el volumen de las pestañas de costuras queden bien repartido. El ancho de los ribetes ya terminados varía, con un máximo de 1.5 cm (5/8").

Para mejores resultados, las tiras del ribete se cortan al bies, aunque si las costuras son rectas, se pueden cortar al hilo de la tela.

Determine en qué dirección va a traslapar cada costura ribeteada y cosa el biés en la pestaña de la costura que traslapa. Como regla general, las costuras princesa o las laterales del frente se traslapan hacia la espalda de la prenda en tanto que las costuras horizontales traslapan hacia abajo. Al utilizar ribetes en las mangas montadas, ribetee la sisa del corpiño y acomódelo sobre el hombro de la manga.

En algunas prendas tal vez le agrade también ribetear las orillas con un ribete que coordine.

Cómo hacer una costura ribeteada y traslapada

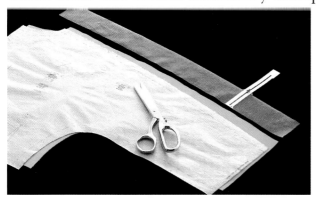

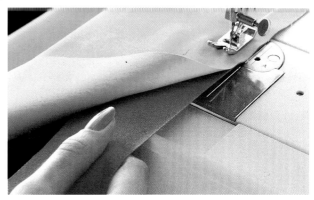

1) Corte pestañas de costura normales de 1.5 cm (⅝") en las costuras que va a forrar. Corte las tiras del bies del largo de la orilla más 5 cm (2"). Corte el ancho de las tiras del doble de 1 ancho del ribete terminado más 3.2 cm (1¼"). Por ejemplo, para un forro de 1.3 cm (½"), las tiras deben medir 6 cm (2¼") de ancho.

2) Una la tira de forro a la pieza de la prenda que traslapa, derecho con derecho, acomodando la tira contra los dientes de alimentación del prensatelas. Desvanezca el ribete en las curvas exteriores y estírelo ligeramente en las interiores.

3) Recorte las pestañas al ancho del ribete. Planche hacia el revés el ribete sobre las pestañas y alrededor de la orilla cortada. Señale con greda o tinta soluble en agua la línea a la que deben llegar en la sección inferior de la prenda dejando el ancho del ribete terminado con más 1.5 cm (⅝") de la orilla cortada.

4) Acabe la orilla cortada. Ponga la parte forrada de la prenda sobre el traslape inferior, acomodando la orilla exterior del ribete hasta la línea que marcó para colocarlo. Prenda a través de todas las capas. Cosa en la unión de las telas. Al final de la costura, recorte el ribete sobrante a que quede parejo con la orilla de la pieza de la prenda.

Cómo coser una orilla ribeteada que armonice

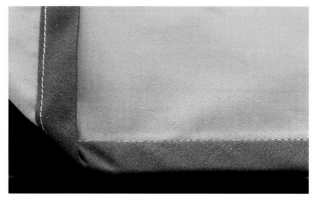

1) Recorte la costura o pestaña para el dobladillo de la prenda. Corte las tiras del ribete dejándolas del largo de la orilla más 5 cm (2") y de ancho de seis veces el ancho terminado más 6 mm (¼"). Planche el ribete por la mitad a lo largo y colóquelo por el derecho de la prenda, dejando las orillas cortadas parejas. Haga la costura dejando la pestaña de costura del ancho del ribete terminado.

2) Doble el ribete alrededor de la orilla, planche y prenda. Cosa en la unión de las telas desde el derecho de la prenda, sujetando la orilla doblada que quedó al revés de la prenda.

Agregue costuras para aumentar el atractivo de sus prendas

El diseño básico de una prenda se vuelve más interesante si le aumenta una o más costuras. Cuando se aumentan varias costuras, las piezas de la nueva prenda pueden cortarse de diferentes telas, logrando un efecto de parches con diversas telas en distintos estampados o texturas. También puede intentar bloques de color empleando un color diferente de tela para cada sección de la prenda.

Copie el patrón para marcar en la copia y poder cortar las piezas al aumentar las nuevas costuras. Trace las líneas de costura en el nuevo patrón y revise la colocación de las costuras al probar el ajuste del patrón, prendiéndolo con alfileres. Proceda a cortar el patrón y aumente las pestañas de costura.

Cómo aumentarle costuras a un patrón

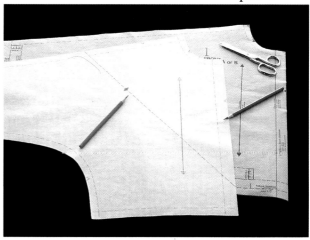

1) **Trace** la pieza del patrón en papel de china. Señale las nuevas líneas de costura en el nuevo patrón. Trace muescas para indicar el lugar en que las secciones de la prenda deben casar al coser.

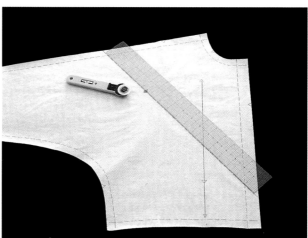

2) **Prolongue** las líneas que marcan el hilo de la tela en cada nueva pieza del patrón. También puede trazar una nueva línea, paralela al original. Divida el patrón cortándolo por las nuevas líneas de costura.

3) **Ponga** más papel de china en las nuevas líneas de costura. Señale el ancho que desea para las pestañas. Trace las muescas llevándolas hasta las líneas de corte del patrón.

Ribetes dobles
y triples

Los ribetes dobles y triples son una manera adecuada de resaltar una prenda sencilla al destacar las líneas del diseño. Los ribetes se emplean como acabado en las orillas o se pueden embeber en una línea de costura.

Las cintas de bies de tela, cortadas de 3.8 cm (1½") de ancho se emplean para cubrir el cordoncillo. El largo de cada tira debe ser igual al largo combinado de las costuras u orillas que vaya a ribetear, más un tanto extra para las pestañas de costura. Una las tiras conforme lo necesite.

Para este trabajo se recomienda el galón de cola de rata porque le dará una orilla firme y no es probable que se atore en el prensatelas para cierres al coser el ribete.

Para obtener mejores resultados, utilice un prensatelas ajustable para cierres y así poder controlar la distancia al coser el ribete. Para que el prensatelas no se deslice rompiéndole la aguja, apriete bien el tornillo de fijación del prensatelas para cierres. En otro caso, si a su máquina se le puede ajustar la posición de la aguja, ponga ésta en línea con el prensatelas para cierres.

Para hacer el ribete, ensarte la aguja con hilo al color del ribete para la orilla exterior y emplee este color para coser todas las hileras del ribete.

Cómo hacer ribetes dobles y triples

1) Corte tiras de tela al bies. Únalas al tamaño que las necesita. Planche las costuras abiertas.

2) Acomode el prensatelas para cierres a la derecha de la aguja. Ajuste el prensatelas o la posición de la aguja para que ésta quede cerca de la curva interior de apertura en el prensatelas. Apriete firmemente los tornillos de sujeción.

3) Doble la tela que quedará en la orilla exterior alrededor del cordoncillo uniendo revés con revés y dejando parejas las orillas cortadas. Asegure el cordoncillo al final de la tira con un alfiler. Cosa mientras guía el cordón a lo largo de la orilla del prensatelas.

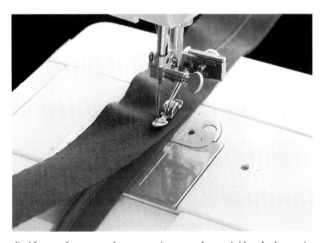

4) Ajuste el prensatelas para cierres o la posición de la aguja de modo que ésta quede alineada con la *orilla* del prensatelas. Apriete firmemente el tornillo de sujeción. Coloque la segunda tira de tela sobre el ribete, derecho con derecho, alineando las orillas cortadas. Cosa lo más cerca que pueda de la orilla del cordón.

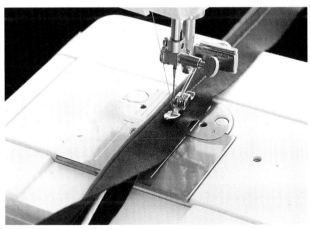

5) Ajuste el prensatelas para cierres igual que en el paso 2. Doble la segunda tira alrededor del cordón y fije el extremo con un alfiler. Las orillas cortadas no casan. Cosa, guiando el cordón a lo largo de la orilla del prensatelas para cierres.

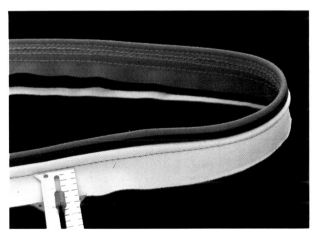

6) Repita los pasos 4 y 5 utilizando el tercer color de tela, si es que desea un triple ribete. Recorte las pestañas de costura de los ribetes, si es necesario, para que casen con los de la prenda.

Cómo aplicar los ribetes dobles y triples

Los vivos dobles o triples se utilizan en las líneas de costura o en las orillas de las prendas. No se deben emplear alrededor de esquinas pronunciadas, pero sí en las esquinas redondeadas.

Al coserlos en una línea de costura, aplique el ribete a una sección de la prenda y haga después la costura ya que el ribete se encimará sobre la otra sección. Determine la dirección en que desea que quede el ribete para aplicarlo a la parte adecuada de la prenda. Como regla general, las costuras princesa o laterales del frente se traslapan hacia los costados de la prenda; las costuras laterales traslapan hacia la espalda de la prenda y las horizontales, hacia abajo.

Si el vivo se utiliza en las orillas de la prenda, cuellos y puños, la vista o el forro se pegarán a mano, ocultando las hileras de puntadas por el revés del ribete para obtener un buen acabado en la orilla.

Cómo poner el ribete doble o triple en la costura

1) Prenda el ribete a la prenda, derecho con derecho, casando las orillas cortadas. Ajuste el prensatelas para cierres como se ve en la página 65, paso 2. Cosa, guiando el acordonado a lo largo de la orilla del prensatelas.

2) Ajuste el prensatelas para cierres como en la página 65, paso 4. Acomode las secciones de la prenda derecho con derecho, casando las orillas. Haga una costura lo más cerca posible del cordón. (El prensatelas se levantó para mostrar el detalle).

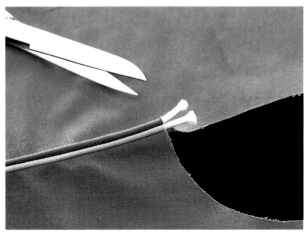

3) Si es que la costura con ribete se cruza con otra o la va a volver hacia el revés en un dobladillo, saque un poco los cordones. Recorte los extremos el mismo tanto que la pestaña de costura.

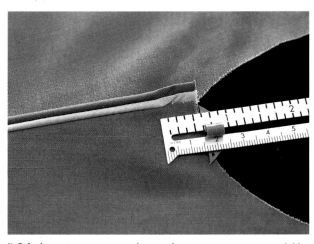

4) Jale la costura para que los cordones regresen a su posición original. Haga la costura que los cruza utilizando un prensatelas para cierres.

Cómo ponerle ribete doble o triple a una orilla

1) Corte las piezas de las vistas y del forro como el patrón lo indique. Disminuya el tamaño del patrón para la pieza de la prenda por la línea de costura en la misma medida del ribete. Agregue la pestaña de costura. Corte la pieza de la prenda del patrón ya ajustado.

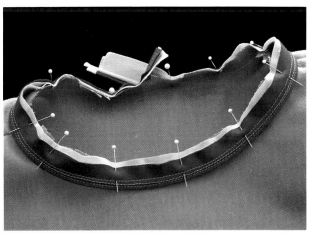

2) Prenda el ribete a la prenda, derecho con derecho y las orillas cortadas parejas.

3) Ajuste el prensatelas para cierres como se indica en la página 65, paso 4. Haga la costura cosiendo lo más cerca posible del cordón. En una orilla circular, deje 2.5 cm (1") sin coser en cada extremo. Desvanezca las pestañas y haga cortes en las curvas.

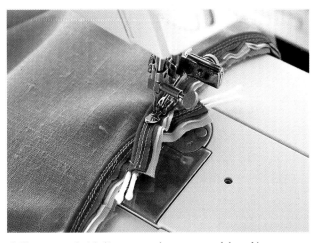

4) Si es necesario jale ligeramente los extremos del cordón para que la curva interior quede lisa. Si se trata de una orilla circular, traslape el ribete y los extremos curvos dentro de la pestaña de costura, de modo que los extremos disminuyan hacia la orilla cortada. Cosa.

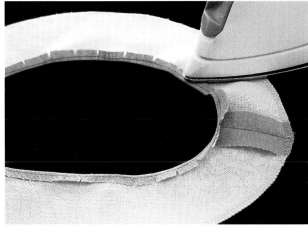

5) Cosa las vistas o las piezas del forro por la línea de costura. Recorte la pestaña de costura y haga cortes en las curvas. Planche la vista o el forro hacia abajo 3 mm (1/8") más dentro de la línea de puntadas.

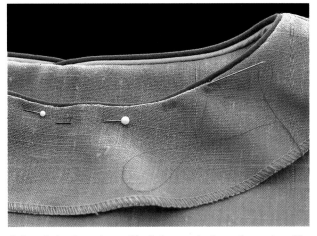

6) Prenda la vista a la sección de la prenda de modo que la orilla quede alineada con la línea de costura en la hilera exterior del ribete. Cosa con punto deslizado a lo largo de la orilla doblada.

Bolsillos

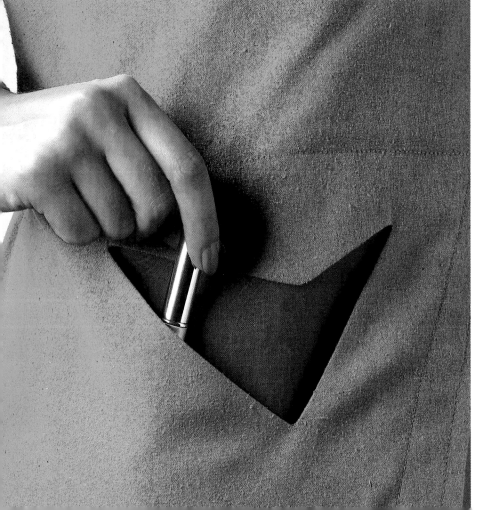

Diseñe creativamente sus propios bolsillos para subrayar el estilo de una prenda, dándoles la forma y el tamaño deseados. Si desea agregar aún más interés a la prenda, hágalos con tela contrastante.

Bolsillos de ventana

Los bolsillos de ventana (arriba y a la izquierda) permiten gran inventiva y se cosen con facilidad, además de poder usarse tanto en prendas forradas como sin forro. Puede variar los bolsillos cambiando el tamaño o forma de los mismos. Puede utilizar tela contrastante para la pieza del bolsillo y así destacar la abertura del mismo.

Bolsillos con aletilla

En los bolsillos forrados de aletilla, la parte superior de éste se dobla hacia el frente para formar la vista contrastante. Piense primero en la forma de bolsillo que complemente el diseño de la tela o de la prenda. Las formas de los bolsillos en las prendas de la parte superior repiten los motivos del estampado y la forma del escote. El bolsillo también puede repetir la forma de otros detalles de la prenda, por ejemplo, el bolsillo con muesca a la derecha lucirá en una prenda que tenga esa forma en las solapas.

Cómo coser un bolsillo con ventana

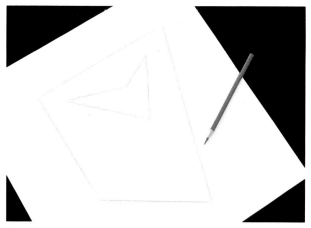

1) Trace la forma y tamaño del bolsillo que desea en un papel, dibujando la abertura y las líneas por donde irá el sobrepespunte.

2) Haga un patrón en papel de china, dibujando las líneas de corte 1 cm (³/₈") afuera de la línea exterior del sobrepespunte. Corte una pieza para el forro, con el revés hacia arriba. Corte otra pieza de una tela que armonice o contrastante, con el derecho hacia arriba, ya que esta pieza se verá en la abertura del bolsillo. Acabe las orillas.

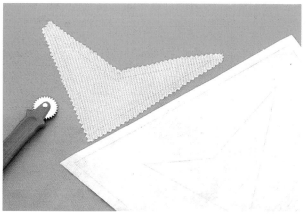

3) Trace la imagen opuesta del bolsillo sobre el derecho de la entretela termo-adherible. Corte esta entretela 1.3 cm (¹/₂") más grande que la abertura del bolsillo, usando para ello tijeras de ribetear. Planche la entretela por el revés de la pieza de la prenda en el lugar deseado.

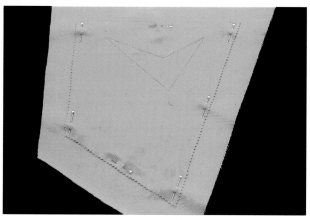

Acomode el forro del bolsillo sobre la prenda, derecho con derecho y préndala en su lugar. Cosa a través de todas las capas, desde el revés, siguiendo las líneas marcadas para la abertura del bolsillo.

5) Recorte las capas de tela 6 mm (¹/₄") adentro de la línea de costura. Haga cortes en los lugares que sea necesario.

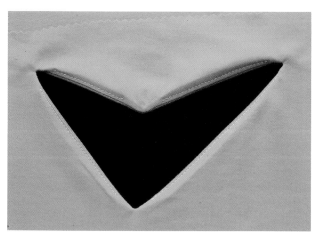

6) Voltee el forro del bolsillo hacia el revés de la prenda y planche. Cosa un bajo pespunte en la orilla de la abertura para evitar que el forro se vea desde el derecho.

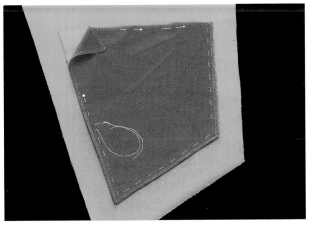

7) Acomode la pieza del bolsillo con el derecho hacia abajo, sobre el forro del bolsillo. Hilvane desde el revés a 1 cm (³/₈") de las orillas de la pieza del bolsillo.

8) Haga un sobrepespunte alrededor de los bolsillos, desde el lado derecho de la tela, siguiendo la línea de las puntadas del hilván. Quite el hilván.

Cómo coser un bolsillo con aletilla

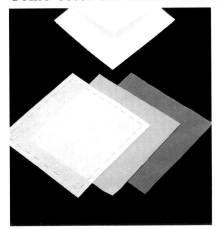

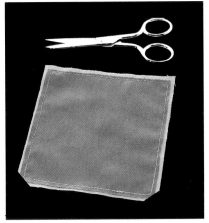

1) Diseñe el bolsillo y recorte la forma en papel al tamaño deseado. Voltee la aletilla para ver su diseño. Trace el patrón con papel de china, agregando las pestañas de costura. Corte una pieza de cada una de dos telas.

2) Acomode las piezas, derecho con derecho y prenda con alfileres. Cosa alrededor de las orillas y no deje abertura. Recorte las orillas y las pestañas. Haga también recortes en las curvas.

3) Haga una pequeña abertura en el forro, cerca de la orilla inferior. Voltee el bolsillo al derecho por la abertura.

4) Planche la costura para que el forro no se vea en el bolsillo inferior y que la tela de afuera no se vea en la aletilla. Planche la aletilla.

5) Cierre la abertura con un pedacito de entretela termo-adherible.

6) Prenda el bolsillo a la prenda, cosiendo con un sobrepespunte en el lugar deseado, rematando en cada orilla de abertura del bolsillo.

Bolsillos y ojales triangulares

Los ojales triangulares son una variante del ojal de sastre, forrado. Como son novedosos, pueden ser el punto focal de una prenda si se cosen en tela contrastante, o agregan un toque sutil de acabado fino si se cosen de la misma tela. La pieza para el ojal se corta al hilo de la tela, lo que da hileras diagonales encontradas si emplea una tela listada, como se ve en la página 111.

Para determinar el largo de la abertura del ojal, tenga el diámetro del botón, agréguele el grueso y de 3 a 6 mm (1/8" a 1/4") adicionales para que pase bien. Haga varias pruebas del ojal para cerciorarse del deslizamiento del botón y dominar la técnica antes de hacerlos en la prenda definitiva.

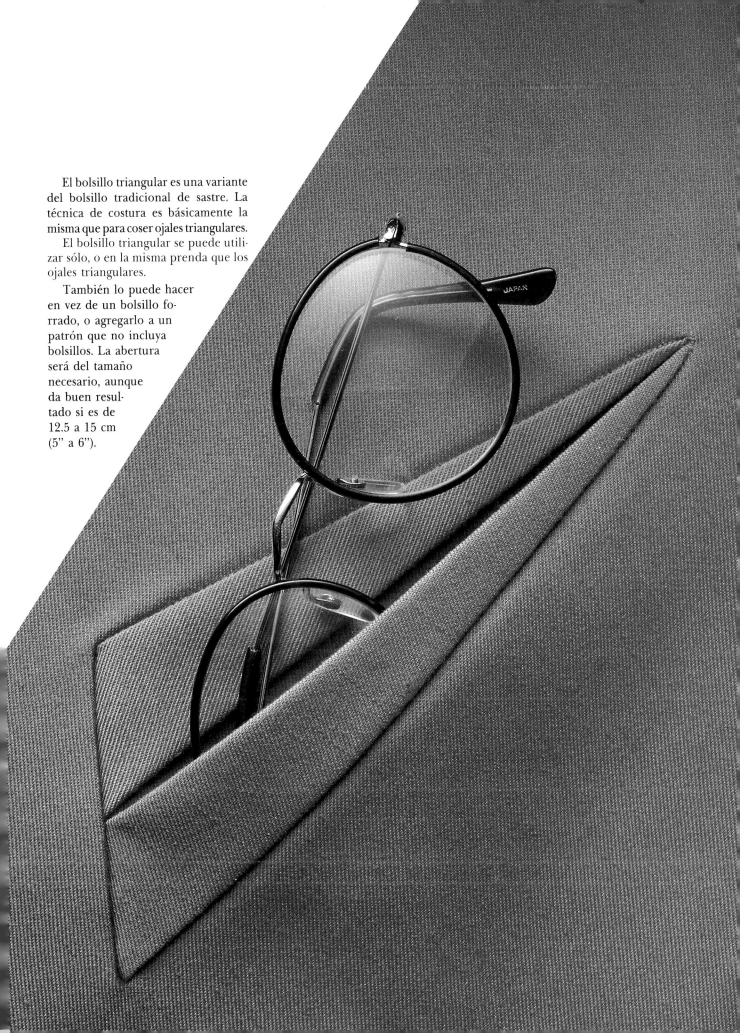

El bolsillo triangular es una variante del bolsillo tradicional de sastre. La técnica de costura es básicamente la misma que para coser ojales triangulares.

El bolsillo triangular se puede utilizar sólo, o en la misma prenda que los ojales triangulares.

También lo puede hacer en vez de un bolsillo forrado, o agregarlo a un patrón que no incluya bolsillos. La abertura será del tamaño necesario, aunque da buen resultado si es de 12.5 a 15 cm (5" a 6").

Cómo coser un ojal triangular forrado

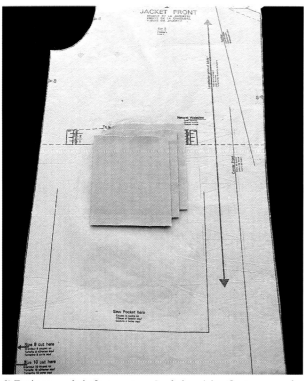

1) Esté segura de la forma y tamaño de los ojales. Corte un parche al hilo de la tela para cada ojal, que mida 2.5 cm (2") más de largo que la abertura para el ojal y un ancho de cuatro veces el ancho del ojal acabado en la parte mayor.

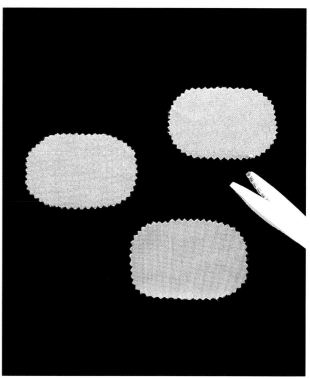

2) Corte un trozo de entretela fusionable para cada ojal, que mida 2.5 cm (1") más de largo y de ancho que el triángulo ya acabado, hágalo con tijeras para ribetear.

3) Señale las puntas del ojal triangular en la prenda con puntadas de sastre. Deje sólo una hebra de estas marcas. Por el revés de la pieza de la prenda, centre la entretela sobre el ojal y plánchela para fijarla en su lugar.

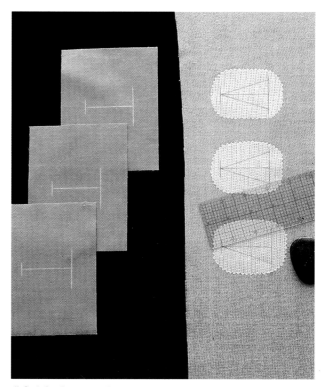

4) Señale el centro y los extremos de cada ojal con una greda, tanto en la entretela como en el revés del parche. En la entretela también marque las líneas de los triángulos.

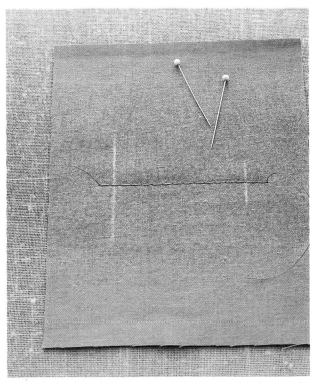

5) Acomode el parche en la pieza de la prenda, derecho con derecho, utilice alfileres para alinear las marcas. Hilvane a máquina a través de la línea central.

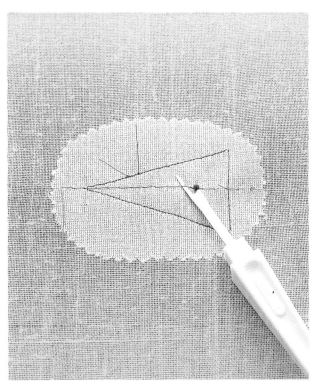

6) Cosa alrededor del triángulo que marcó usando 20 puntadas por pulgada (2.5 cm). Empiece en un lado del triángulo y dé una o dos puntadas a través de cada punta. Quite el hilván.

7) Corte tres aberturas a través del parche únicamente; haga el corte de la orilla exterior del parche hasta 3 mm (¹/₈") de las esquinas del triángulo, como se muestra.

8) Corte el parche y la sección de la prenda por el centro del ojal, deteniéndose a 6 mm (¹/₄") del extremo más ancho. Haga un corte que llegue hasta las orillas, sin cortarlas.

(Continúa en la página siguiente)

Cómo coser un ojal triangular forrado (continuación)

9) Voltee el parche en el extremo ancho del ojal hacia el revés; planche la costura en el extremo ancho.

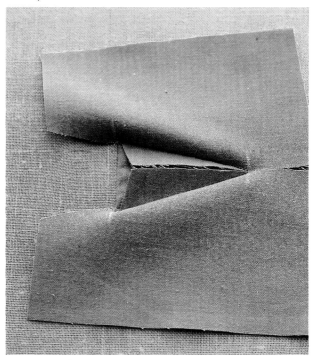

10) Planche el parche hacia la abertura del ojal en las dos líneas restantes de costura.

11) Voltee los lados del parche hacia el revés, envolviendo alrededor de la abertura central para formar los labios del ojal. Planche por el derecho, cuidando que los labios queden parejos.

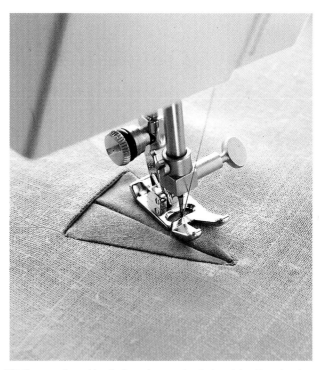

12) Cosa en la unión de las telas por los lados del triángulo, de la parte ancha hacia la punta, con hilo del mismo color y puntada corta. En los extremos, dé varias puntadas en un solo lugar para rematar la costura.

13) Voltee la prenda hacia el revés, cosiendo a través del extremo ancho del ojal, sobre las puntadas anteriores y sobre todas las capas de tela. Recorte la tela sobrante.

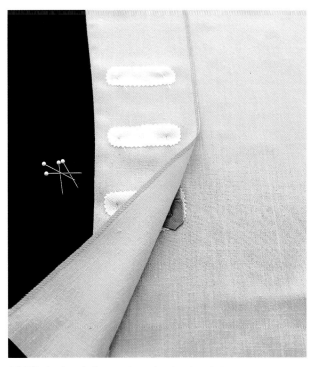

14) Fije la vista de la prenda y planche. Señale los extremos de las aberturas de los ojales con alfileres. Corte una pieza de entretela fusionable para cada ojal, que tenga 2.5 cm (1") más de largo que la abertura y 2.5 cm (1") de ancho. Centre la entretela con el lado fusionable hacia arriba, sobre las aberturas marcadas con alfileres por el derecho de la vista.

15) Señale la abertura en la entretela con un lápiz. Marque la forma oval desvaneciendo desde los extremos del ojal hasta llegar a 3 mm (¹/₈") de la línea marcada en el centro del ojal. Cosa alrededor del óvalo asegurando con la costura la entretela y la vista, dando dos puntadas en cada extremo.

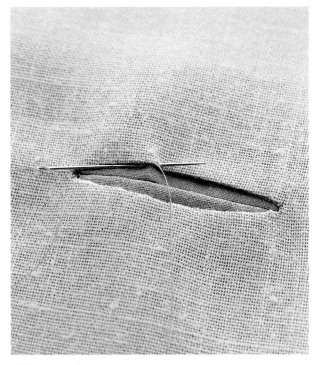

16) Haga una abertura por la línea central. Voltee la entretela hacia el revés de la vista. Planche las costuras sólo con la punta de la plancha. Planche la entretela auto-adherible en su lugar. Cosa con punto deslizado la vista a la sección de la prenda alrededor de la abertura oval.

Cómo coser un bolsillo triangular tipo sastre

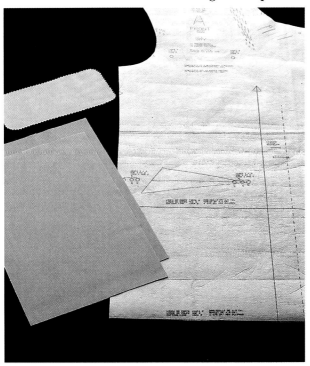

1) Corte dos piezas para el bolsillo al hilo de la tela y el ancho debe medir 5 cm (2") más que la abertura del bolsillo y el largo cuatro veces más que el ancho del triángulo ya terminado en el extremo mayor, más 7.5 cm (3"). Corte una pieza de entretela termo-adherible que mida 2.5 cm (1") más de largo y más ancha que el triángulo ya terminados. Utilice tijeras para ribetear.

2) Señale las puntas del triángulo en la prenda y ponga la entretela como se indica en el paso 3, página 74. Señale la abertura del bolsillo sobre la entretela. Marque también las líneas del triángulo. Divida el largo de una pieza para bolsillo en tres partes y márquela con alfileres. Señale la abertura para el bolsillo por el revés del mismo a un tercio de altura de la parte superior. Señale las líneas del triángulo.

3) Siga los pasos 5 a 11, páginas 75 y 76. Cosa en la unión de las telas por la parte inferior del triángulo, de la punta más ancha hacia la angosta, utilizando hilo del mismo color y puntada corta. Remate en los extremos para asegurar las puntadas.

4) Centre la segunda parte del bolsillo sobre la primera pieza por el revés. Prenda juntas las piezas del bolsillo.

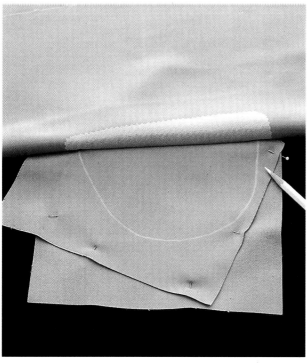

5) Ponga la prenda con el derecho hacia arriba. Levante la parte de la prenda que deje a la vista los extremos de las piezas del bolsillo. Señale la línea de costura curva para lo que es la bolsa en sí, comenzando y terminando en los extremos de la abertura del bolsillo.

6) Cosa a través del extremo en punta del triángulo para reforzarlo. Siga cosiendo por la línea marcada alrededor del bolsillo.

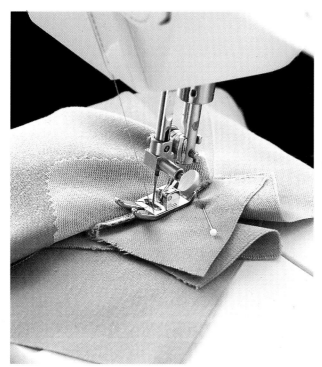

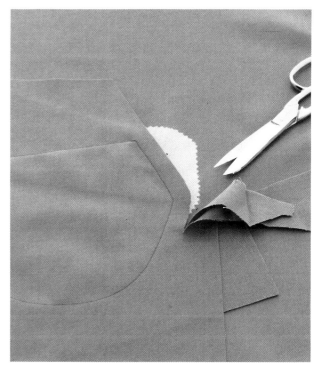

7) Siga cosiendo a través del extremo ancho de la abertura del bolsillo, sobre las puntadas anteriores, tomando todas las telas.

8) Cosa en la unión de las piezas, por la parte superior del triángulo, de la parte ancha a la punta, usando hilo del mismo color y puntadas pequeñas. Remate en los extremos. Recorte la tela sobrante alrededor del bolsillo y acabe la orilla.

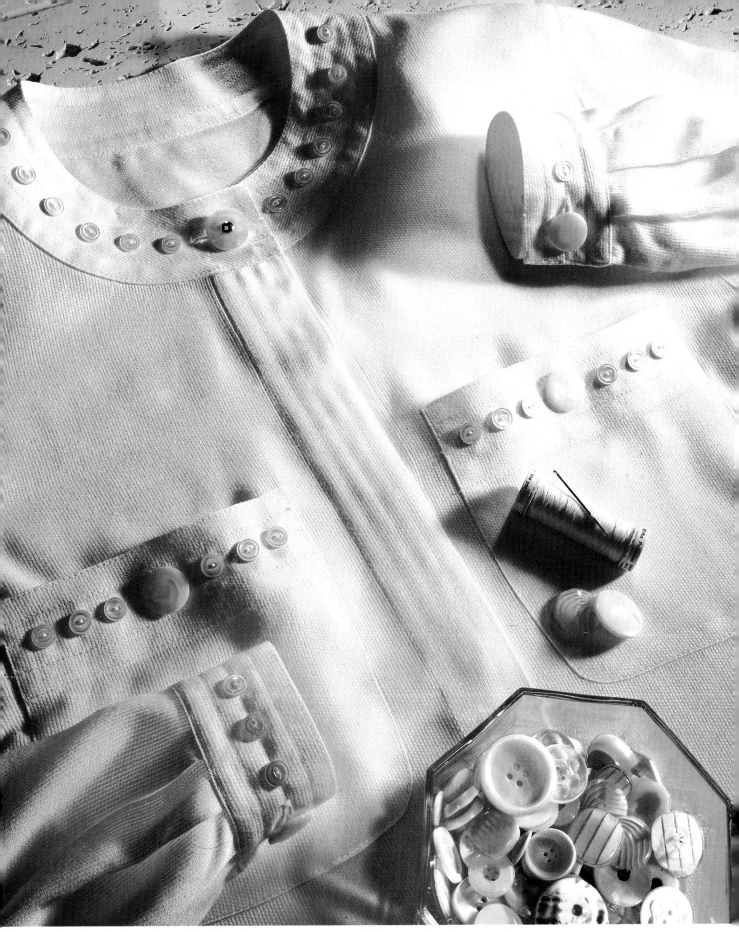

Como detalle decorativo puede utilizar botones con una gran variedad de tamaños, formas y colores.

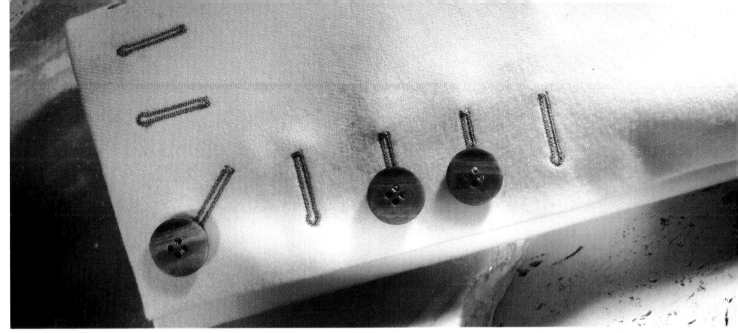

Los ojales no siempre tienen que ser funcionales. Como un detalle de alta costura puede adornar con ojales el puño o cualquier orilla de la prenda.

Detalles originales inesperados

Cuando se intenta lo inesperado, existen muchas posibilidades para la creatividad. Aunque la mayor parte de accesorios de costura se idearon para un propósito específico, también se pueden emplear en maneras no convencionales. Por ejemplo, los galones con borlas o las trencillas diseñadas originalmente como adornos para decoración, también se utilizan para acentuar los detalles de diseño de una prenda. Las cintas de los cierres se pueden insertar en las costuras, de modo que los dientes del cierre formen un interesante ribete, o las cintas del cierre se pueden coser con un sobrepespunte para unirlas a la prenda, como ribete de adorno, lleno de color. Los botones y ojales pueden ser simplemente adornos, en lugar de emplearse para abrochar.

Se puede coser un ribete con borlas para acentuar la solapa o línea del escote de una prenda.

Las orillas dentadas de los cierres se convierten en un ribete de adorno que acentúa las orillas o detalles de una prenda. Inserte la cinta del cierre en la costura igual que lo hace para el ribete con cuentas (pág. 93).

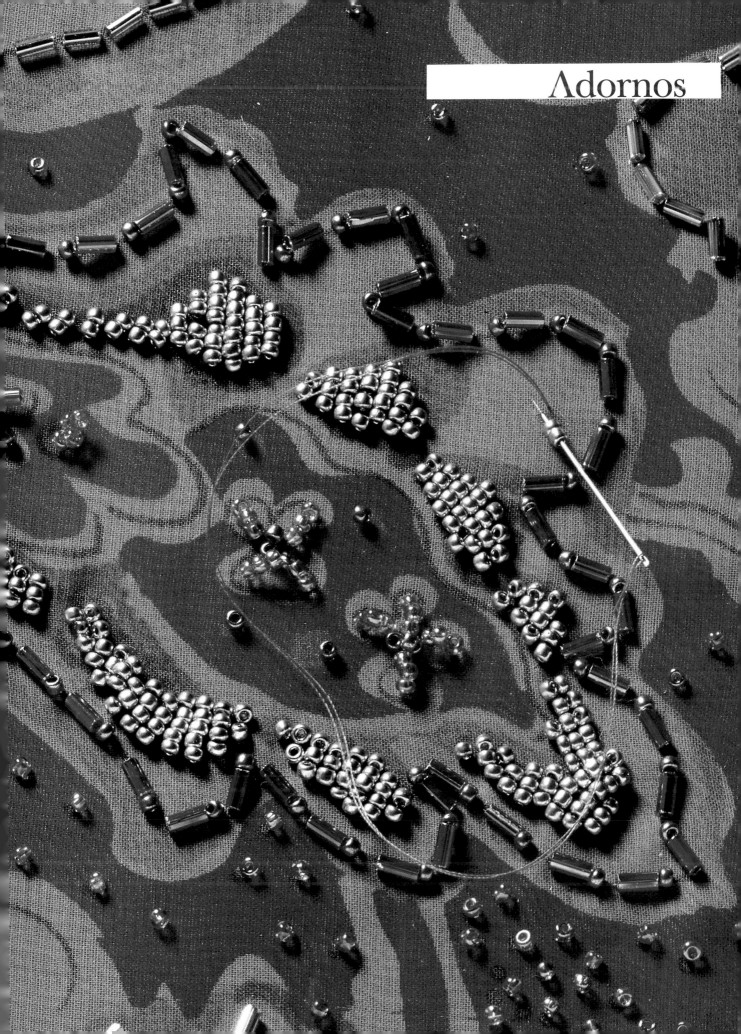

Pasamanería

El adorno con pasamanería es una técnica heredada de la antigüedad que se puede aprovechar en forma creativa en los proyectos de confección de hoy en día. Se obtienen muchos efectos diferentes, dependiendo del tipo de listón que se use, su ancho y el sitio donde se cosa.

Para este trabajo se emplean listón de popotillo, satín de dos vistas así como otros adornos con dos vistas. Los listones y galones que se compren en las ventas de cosas antiguas o en las canastas de costura antiguas, le darán un toque especial de algo antiguo heredado. Si la prenda es algo que vaya a lavar, utilice listones lavables. Revise los listones cerciorándose de la firmeza de los colores y de cuánto encogen, en especial en los listones antiguos y en los de contenido de fibras no conocido. El ancho de los listones cambia, según el efecto que se desee obtener.

El listón cosido diagonalmente se emplea para acentuar la solapa de una chaqueta.

Los listones de 1 ó 1.3 cm (³/₈" ó ¹/₂") de ancho, dan buenos resultados, pero si son más angostos o más anchos, también se obtienen diseños interesantes. Piense antes en su diseño, teniendo presente el lugar en que el listón comienza y dónde termina. Los extremos del listón se pueden volver hacia adentro y coserse, ya sea cubriéndolos con otro pedazo de listón o metiéndolo en una costura.

Si el diseño es diagonal, el largo de listón que necesite depende del ancho mismo del listón y del espacio entre una línea y otra, aunque por lo general, se requerirá un largo del listón igual al doble del ancho del diseño, por el número de 'V' que tenga. Calcule dos veces esta cantidad para los diseños en diamante.

El listón forma diamantes y adorna una aletilla oculta en una blusa.

Cómo coser un motivo diagonal con pasamanería

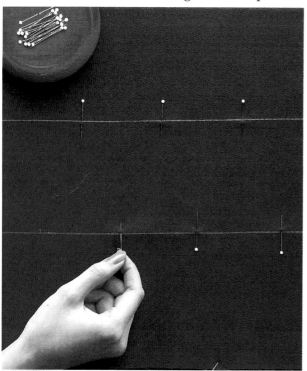

1) Trace las líneas para las orillas exteriores del motivo sobre la tela, ya sea con gis o tinta soluble. Fije la colocación de las líneas diagonales con alfileres, separándolos la misma distancia unos de otros.

2) Prenda con alfileres el listón reversible a la tela, doblando el listón hacia *abajo* en cada alfiler. Acomode los dobleces en las líneas exteriores, dejando el centro en las marcas de los alfileres. Hilvane con pegamento, si lo desea, para evitar que se desplace.

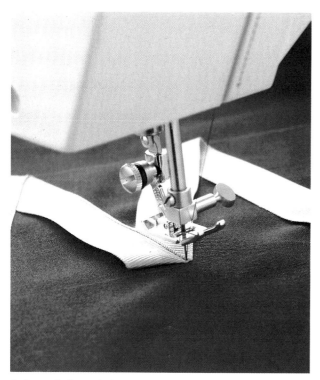

3) Cosa a lo largo de la orilla del listón que traslapa hacia el doblez, como se muestra. Use hilo al color o hilo delgado de monofilamento de nailon. Gire en el doblez y cosa hacia el doblez en el lado opuesto. Siga cosiendo de esta manera hasta el final del listón. (Se utilizó hilo contrastante para destacar el detalle.)

4) Cosa a lo largo de la orilla opuesta del listón hacia el doblez. Dé unas cuantas puntadas en el mismo lugar para fijar la costura. Levante el prensatelas y la aguja; saque el hilo por encima del listón doblado, como se muestra. Fije las puntadas y llegue al siguiente doblez.

5) Siga cosiendo de esta manera hasta el fin del listón.

6) Recorte los hilos por el derecho de la tela y, si lo desea, también por el revés.

Cómo coser un motivo de diamantes con pasamanería

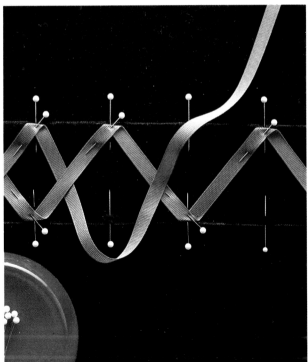

1) Trace las líneas y puntos de cruce, como lo hizo en el paso 1, página opuesta. Prenda el primer listón en su lugar, como lo hizo en el paso 2, página opuesta. Teja el **segundo** listón alternando una vez encima y una vez abajo del primer listón. Prenda.

2) Cosa igual que lo hizo en los pasos 3 y 4 en la página opuesta, excepto que deja de coser al intersectar un listón. Levante el prensatelas y la aguja, jale los hilos para librar el cruce y siga cosiendo. Recorte los hilos.

Trenza

La trenza se hace fácil y rápidamente. Es flexible y tiene una apariencia particular, redondeada de un lado y plana y trenzada del otro. Se puede hacer de uno o varios tipos de cordón, listón, estambre o galón angosto. Si se desea algo multicolor, puede hacerlo para que coordine con una tela en especial.

Si desea hacer un tramo corto de trenza, como muestra, utilice 95 cm (1 yda.) de cada uno de los cordones o galones que desee emplear en la labor terminada. Esto le ayuda a familiarizarse con la técnica de trenzado y cerciorarse del aspecto final de la trenza, antes de trenzar el largo definitivo.

Cuando hace una trenza larga y continua, alguien debe ayudarle a formar la trenza conforme usted la teje.

La trenza puede utilizarse en las líneas de costura o como acabado en las orillas. Si la utiliza en las líneas de costura, haga éstas como se indica en las páginas 26 y 27.

Cómo hacer una trenza

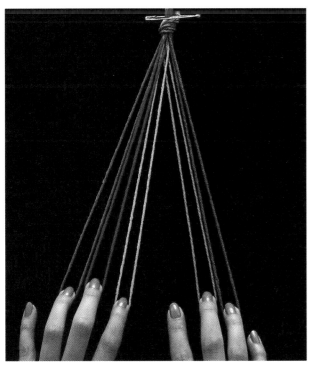

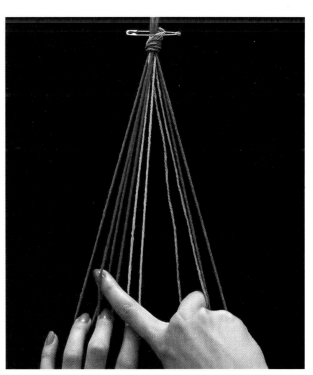

1) Corte cinco hebras de cordón. Doble cada una a la mitad. Ate juntos los extremos cortados. Préndalos a una superficie fija acolchonada con un alfiler de seguridad. Sostenga tres lazadas en los dedos de la mano izquierda y dos en los dedos de la mano derecha.

2) Meta el índice de la mano derecha por el lazo central en la mano izquierda y después en la lazada del dedo anular.

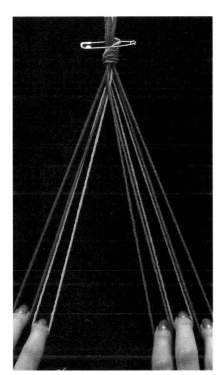

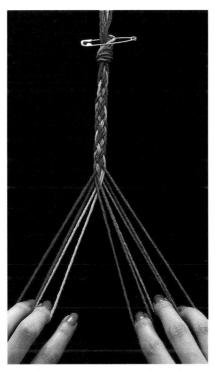

3) Lleve la lazada del anular a través de la lazada central, soltando la lazada del anular de la mano izquierda. Ahora tiene tres lazadas en la mano izquierda y dos en la derecha. Separe las manos para apretar el trenzado en el extremo que ató.

4) Deslice las lazadas en los dedos de la mano izquierda acomodando los dedos para que quede libre el índice izquierdo. Repita el procedimiento alternando las manos hasta terminar el trenzado al largo deseado.

5) Fije los extremos de la trenza cosiéndola a lo ancho. Cosa a mano la trenza a la prenda. Para terminar los extremos, oculte el extremo en una costura (**a**) o doble el extremo hacia abajo, justamente bajo las puntadas (**b**) y cosa.

Aplicación de cuentas

Las cuentas, que dan a prendas y accesorios un toque elegan-
te y atractivo se pueden aplicar con técnicas de costura a máquina o a mano. La costura a máquina se emplea para aplicar
las cuentas que se venden por metro, en tanto que la costura
a mano se utiliza para aplicar las cuentas de una en una. Unas
cuantas cuentas bien colocadas darán un toque exquisito a lo
que de otro modo no es sino un artículo básico. Tal vez desee
coser un diseño más elaborado con pedrería, o hacer aplicaciones que puedan ponerse en una u otra prenda.

Aplicación de cuentas a máquina

Las cuentas que se colocan por metro, se cosen a máquina fijándolas con puntada de zigzag. Se pueden encontrar diferentes tipos, tamaños y colores de tiras de cuentas, incluyendo algunas para ribetes.

Uno de los tipos más frecuentes de cuentas por metro es el de perlas moldeadas en plástico. No confundir éstas con las perlas ensartadas, que se pueden comprar en un cordón y que se fijan a mano una por una.

Las cuentas de cristal *Cross Locked*[MR] vienen trenzadas con hilo de algodón. Los hilos forman un cruce en la parte trasera de cada cuenta, lo que da espacios muy regulares entre unas y otras. Estas cuentas son flexibles, resistentes y fáciles de manejar.

Las cuentas grandes son más difíciles de coser porque son menos flexibles. Por lo tanto, tal vez no las quiera usar cuando cosa diseños curvos o cuando las fija a las orillas.

Se recomienda que utilice un prensatelas especial, para cuentas o ribetes, si es que su máquina cuenta con ese accesorio. La canal en la parte inferior del prensatelas debe ser lo bastante grande para permitir que las cuentas pasen por ella conforme cose.

Para colocar las tiras de cuentas puede utilizar un prensatelas ajustable para cierres o cualquier otro que pueda usar con puntada de zigzag. Para ello, hay que deslizar las cuentas por la orilla del prensatelas. Tenga cuidado de no picar las cuentas con la aguja ya que con esto puede romper la aguja o las cuentas.

Cuando aplique cuentas a máquina, utilice hilo de monofilamento de nailon. El color transparente del hilo desaparece con el color de las cuentas y de la tela, así que es casi invisible. También puede utilizar hilo fino para bordado a máquina.

Ajuste el largo de las puntadas de zigzag para que cada una tenga un ancho igual a la distancia entre las cuentas. Ajuste el ancho de la puntada de modo que la aguja forme la puntada sobre las cuentas sin tocarlas. Pruebe siempre, cosiendo despacio y dando vuelta al volante con la mano, para cerciorarse de que la aguja libra las cuentas. Conviene practicar con la puntada de zigzag a lo más ancho, hasta que se sienta segura de que el ancho de la puntada es adecuado para que quede más cerca de las cuentas.

Deje un tramo de cuentas al principio de la línea de costura y sujételo cosiendo sobre los extremos al empezar a coser. Para evitar que se frunza, sostenga la tela y las cuentas estirándolas conforme va cosiendo y, si es necesario, suelte la tensión del hilo de la aguja.

Al hacer aplicaciones en áreas pequeñas, la tela se puede sujetar con un aro para bordar, esto ayuda especialmente al coser curvas.

Entre las cuentas que se pueden obtener por metro, se encuentran las tachuelas (**a**), brillantes (**b**), perlas moldeadas en plástico (**c**) y las cuentas de cristal entrelazadas (**d**) o *Cross Locked*[MR]

Cómo coser tiras de cuentas a máquina

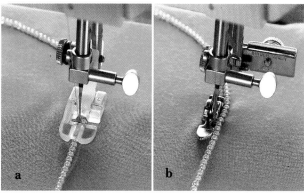

Motivos con cuentas. 1) Trace la línea de diseño en la tela para que le sirva de guía al coser. Acomode la hilera de cuentas en el espacio del prensatelas para coser cuentas (**a**) o a la derecha de un prensatelas ajustable para cierres (**b**). Ajuste el largo y ancho de las puntadas de zigzag. Cosa sobre las cuentas sujetando la tela y la hilera de cuentas mientras cose.

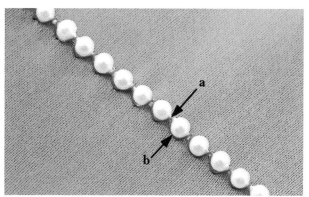

2) Para evitar que la tela se frunza cuando cosa cuentas grandes, cosa de modo que el movimiento de la aguja a la derecha quede entre una y otra cuentas (**a**), y el izquierdo pase por el centro de cada cuenta (**b**).

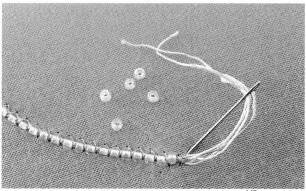

3) Remate la hilera de cuentas de cristal *Cross Locked*^{MR} quitando varias cuentas y atando los hilos para que el nudo quede junto a la última cuenta. Pase los hilos por una aguja y llévelos al revés de la tela. La mayoría de tipos de hileras de cuentas pueden cortarse en los extremos sin que se deshilachen.

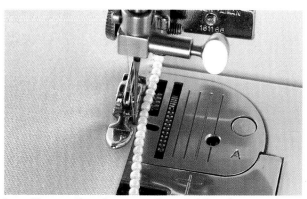

Las orillas con ribete de cuentas. Ponga la hilera de cuentas junto a la orilla de la tela. Emplee un prensatelas para cierres o para cuentas y ajuste el largo de las puntadas. Cosa sobre las cuentas, de modo que el movimiento de la aguja a la derecha quede sobre la orilla de la tela, entre las cuentas y el movimiento de la aguja deba sujetar la orilla de la tela junto al centro de cada cuenta. Asegure los extremos igual que en el paso 3.

Cómo insertar un ribete de cuentas

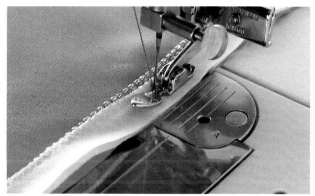

1) Ponga el ribete con cuentas en las piezas de la prenda, derecho con derecho, las orillas cortadas parejas. Con el prensatelas para cierres, cosa junto a las cuentas. Si las pestañas del ribete y de la prenda no tienen el mismo ancho, recorte el mayor.

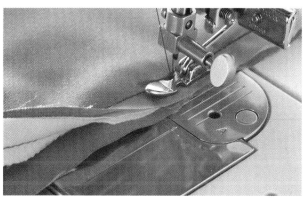

2) Prenda la vista y la pieza de la prenda derecho con derecho, dejando entre las capas el ribete con cuentas. Haga costura recta sobre las puntadas con que fijó el ribete, utilizando también el prensatelas. Recorte y haga los cortes necesarios en las pestañas. Planche.

Aplicación de cuentas a mano

La aplicación de cuentas a mano se hace para coser de una en una las cuentas a una prenda o labor. Se pueden adquirir varios tipos de cuentas para coserlas a mano. Se logra una enorme variedad de efectos, dependiendo de las cuentas que se utilicen y de la manera como se combinen.

Todas las cuentas que aquí se muestran, están al tamaño natural.

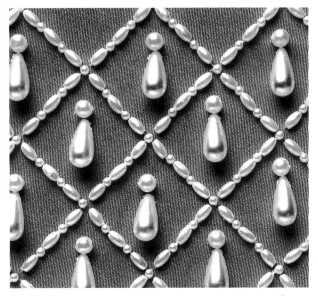

Las cuentas de perlas se pueden conseguir en muchos tamaños y formas.

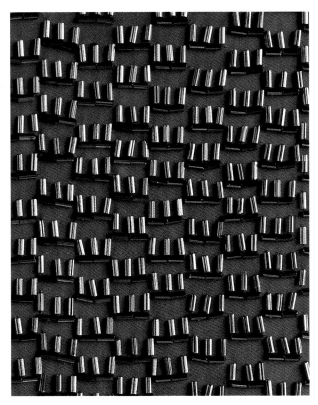

El canutillo es una cuenta tubular que mide de 2 a 40 mm. Puede ser lisa o tener seis lados.

La chaquira es pequeña y redonda, con un agujero al centro.

Las cuentas facetadas tienen superficies planas que fueron cortadas o moldeadas.

Las gotas son cuentas en forma de pera, con un agujero por el extremo angosto, o a todo lo largo de la cuenta.

Las cuentas de fantasía incluyen todas las que no quedan en una categoría específica.

Las redondelas son cuentas en forma de donas; las hacen lisas o facetadas. Para coserlas se utilizan chaquiras.

Bordado con cuentas

El bordado a mano con cuentas se hace con una aguja especial, larga y delgada, con ojo redondo. Se pueden comprar en calibres del 10 al 14 y mientras mayor sea el número, más pequeña será la aguja. Las agujas en tamaños 12 y 13 son lo bastante delgadas para pasar por la mayor parte de las cuentas, aunque los ojos permiten pasar con relativa facilidad los hilos. Se pueden ensartar varias cuentas en una aguja de una sola vez. Puesto que la aguja es fina, puede regresarse por la tela cuando hace falta quitar una puntada.

Se recomienda el hilo de poliéster cubierto de algodón para la mayoría de bordados. Las fibras de algodón hacen que el hilo se maneje con facilidad y el alma de poliéster les da resistencia adicional. El hilo se encera pasándolo por un pan de cera, lo que reduce la tendencia a enredarse y hace que el hilo se deslice más fácilmente a través de la tela. El hilo de monofilamento de nailon se puede usar para bordar sobre tul.

Para bordar con cuentas, se requiere que la tela esté estirada y tensa ya sea en un aro para bordar o en un marco especial que se consigue en las tiendas especializadas en labores manuales. Esto disminuye el encogimiento de la tela cuando se borda con pedrería, a la vez que impide que se frunza u ondule. Cuando se trata de trabajos pequeños se utiliza un aro para bordar y si se trata de labores grandes, como un vestido bordado, se utiliza un marco giratorio.

Si emplea un aro para bordar, seleccione uno de madera que tenga un tornillo tensor, para apretarlo firmemente. El aro debe ser lo bastante grande para dar cabida a todo el diseño que va a bordar, a fin de que no se maltraten las cuentas. Si emplea un marco giratorio, deberá ser lo bastante grande para abarcar con amplitud ya sea el ancho o el largo de la tela.

Para cada sección de la prenda que vaya a bordar, corte una pieza de tela lo bastante grande para permitir el encogimiento natural al bordar con cuentas una tela. Al colocar la tela en el aro o marco, ésta debe quedar perfectamente al hilo, tanto en forma longitudinal como transversal, esto es muy importante en especial para telas que se van a bordar, ya que de otra manera la prenda no tendrá buena caída.

Las líneas de costura y de corte en el patrón así como el diseño del bordado, se deben marcar por el derecho de la tela. Si emplea un marco giratorio, la tela se marca antes de meterla al marco. Si utiliza un aro para bordar, la tela se marcará después de meterla al aro. Los motivos sencillos se pueden marcar a mano libre, aunque resulta más fácil y exacto el señalar los

diseños detallados con una herramienta de marcaje que se llama *almohadilla para estarcir* y que al llenarla con almidón o carbón, se talla sobre un patrón perforado y los puntos perforados pasan a la tela. Esta almohadilla para estarcir se compra con los proveedores de los pintores de letreros aunque también la puede hacer de manera económica si llena de almidón un calcetín.

Otro método consiste en pasar el diseño a un papel de china. Esto se emplea para bordar sobre gasa, encaje u otra tela transparente que se monte en un bastidor de rodillos. El papel de china ayuda a estabilizar la tela mientras se borda. El motivo se marca en el papel en lugar de hacerlo en la tela y las dos capas se colocan juntas en el marco. Después se borda el motivo atravesando ambas capas con el hilo, para después quitar el papel al terminar la labor.

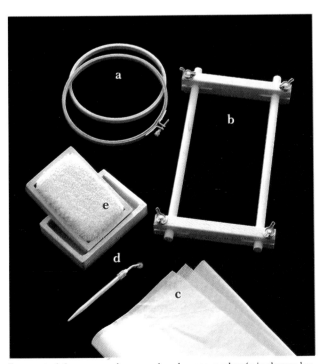

Los materiales necesarios para bordar con pedrería incluyen los aros de madera para bordar (**a**) o el bastidor de rodillos (**b**) que se emplea para estirar ligeramente la tela y el papel de china (**c**). También una carretilla con agujas (**d**), una almohadilla para estarcir, que se emplea para marcar el diseño del bordado.

Cómo diseñar y marcar el dibujo para la pedrería

Con almohadilla para estarcir. 1) Fotocopie el dibujo o trácelo en papel. Si va a bordar una pieza de la prenda, trace los contornos del patrón, las líneas de corte y la línea del hilo de la tela. Ponga encima distintos colores, tamaños y formas de cuentas y considere con qué puntadas va a coserlas (páginas 100 y 101).

2) Prenda el patrón en una capa gruesa de cartón corrugado o una plancha de corcho. Perfore el patrón de papel con la carretilla de agujas, siguiendo las líneas de diseño, las de costura y las de corte.

3) Acomode el patrón del bordado con el derecho hacia arriba, sobre el derecho de la tela. Préndalo o hilvane en su lugar, alineando los hilos de la tela. Polvee con la almohadilla para estarcir sobre los agujeros que dejó la aguja, hasta que el polvo se cuele por ellos. Levante el patrón y rocíe la tela con fijador para el cabello en aerosol para que no se corra.

Método del papel de china. Escoja el diseño, igual que en el paso 1. Trácelo sobre papel de china. Acomode el papel bajo la tela transparente, con el lado derecho hacia arriba en papel y tela, alinie con los hilos de la tela. Prenda con alfileres e hilvane la tela al papel siguiendo las líneas de costura y las de corte. Coloque su proyecto en el bastidor de rodillos (páginas 98 y 99).

Cómo acomodar la tela en un aro para bordar

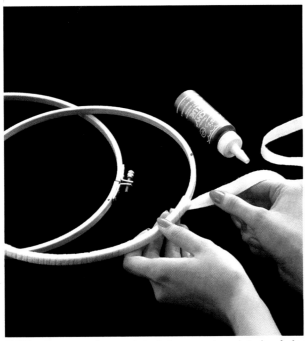

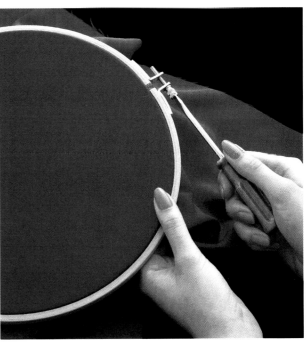

1) Fije el extremo de una cinta de lona en el aro interior de los aros de bordar. Puede hacerlo con pegamento para telas. Envuelva el aro con la cinta, en dirección diagonal y traslapando cada vuelta en la mitad del ancho. Jale firmemente la cinta mientras envuelve. Asegure el otro extremo de la cinta también con pegamento. Antes de usar el aro, deje que seque.

2) Acomode la tela con el derecho hacia arriba sobre el aro interior. Deslice el aro exterior sobre el interior, cerciórandose de que la tela quede bien estirada. Apriete parcialmente el tornillo y jale nuevamente la tela hasta que esté muy tensa, cuidando de dejar el hilo transversal y el longitudinal bien alineados. Apriete el tornillo de fijación con un desarmador. Marque en la tela las líneas de costura, las de corte y el motivo para el bordado (página 97).

Cómo acomodar la tela en un bastidor de rodillos

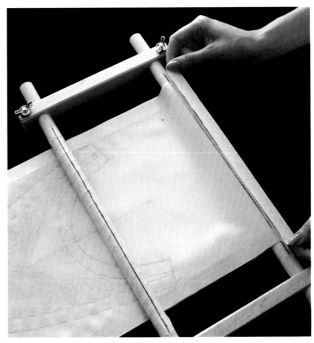

Marque las líneas de costura, las de corte así como el motivo que va a bordar directamente sobre la tela (página 97). Ponga *masking tape* en las orillas longitudinales de la tela. Envuelva con *masking tape* los rodillos transversales del bastidor. Sujete un rodillo firmemente contra una mesa y, con un lápiz, trace una línea en el lugar en que toca la mesa. Repita para el otro brazo transversal.

2) Arme el bastidor de rodillos. Pegue una orilla de la tela a un rodillo, alineando el hilo transversal de la tela con la línea que trazó con lápiz en el rodillo.

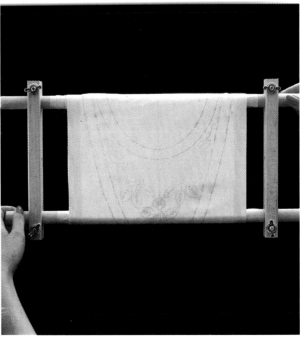

3) Enrolle la tela alrededor del rodillo transversal, cuidando de conservar el hilo de la tela recto. Si utiliza papel de china para marcar el diseño, enrolle juntos la tela y el papel.

4) Pegue el extremo opuesto de la tela al otro rodillo transversal, alineando el hilo transversal de la tela con la línea marcada. Enrolle la tela en el brazo del bastidor para mantenerla tensa a lo largo, siempre conservando recto el hilo de la tela.

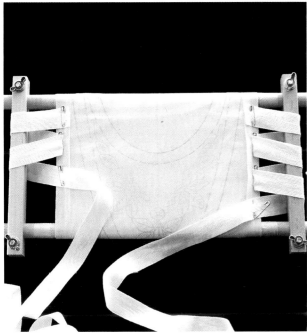

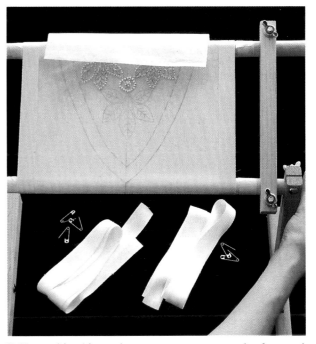

5) Prenda el extremo de una cinta de lona de 2.5 cm (1") a la orilla de la tela y envuélvala sobre el larguero del marco. Jale un poco la cinta y prenda de nuevo a la orilla de la tela. Repita en el lado opuesto de la tela, conservando recto el hilo de la tela. Trabaje de un lado y otro, sujetando la tela hacia abajo hasta que quede bien estirada.

6) Monte el bastidor en los soportes para que pueda efectuar el trabajo sin tener que sujetar el bastidor. Después que la tela a la vista haya sido bordada, quite los alfileres de seguridad a la cinta de lona y ponga papel de china o guata para acolchado sobre la tela bordada. Enrolle la tela para dejar descubierta el área que no ha bordado, conservando recto el hilo de la tela. El papel de china o el material para acolchado le permiten enrollar la tela bordada en una forma pareja, a la vez que acolchona las cuentas.

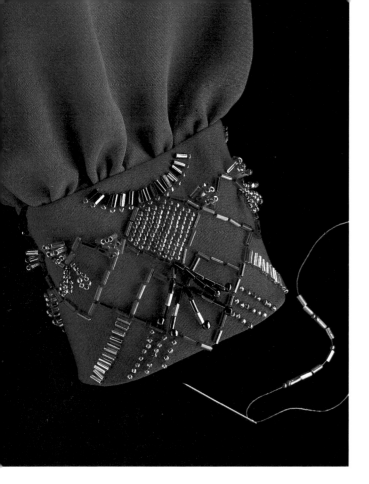

Las puntadas del bordado

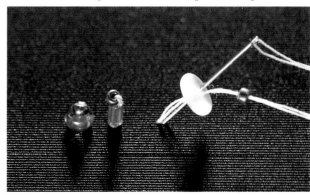

Punto fijo básico. Saque la aguja pasando dos cuentas por el lado derecho de la tela. La última cuenta que ensarta se llama *de tope*. Lleve la aguja hacia el revés a través de la primera cuenta, pase por la tela hacia el revés de ésta. Frecuentemente esta puntada se usa para pegar una cuenta grande y una chaquira pequeña, o una cuenta de canutillo y una chaquira.

Puntada colgante. Saque la aguja hacia el derecho y ensarte varias cuentas por el lado derecho de la tela. La última cuenta o tope es generalmente una chaquira. Saque la aguja hacia atrás pasando por todas las cuentas excepto la chaquira o tope. Pase por la tela hacia el revés. Anude los hilos por el revés después de cada puntada colgante.

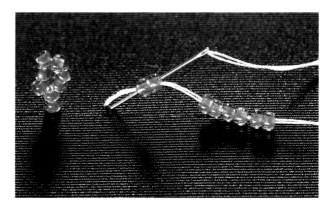

Puntada de lazada colgante. Saque la aguja hacia el derecho de la tela y ensarte varias cuentas por el derecho de la tela. Utilice varias de estas cuentas como tope, formando una lazada. Pase la aguja hacia el revés de la tela por la cuenta o cuentas restantes y luego por la tela hacia el revés.

Con base en dos tipos fundamentales de puntadas, el punto fijo y el punto deslizado, se logran diversas variaciones de puntadas para el bordado con pedrería. Se utiliza una aguja para ensartar cuentas y una hebra doble de hilo encerado. El ojo de la aguja debe poder regresarse por la tela cuando sea necesario eliminar alguna puntada. Fije los hilos después de coser de 2.5 a 3.8 cm (1" a 1½") ya sea anudando o haciendo punto atrás.

Trabaje desde el centro hacia afuera, a las orillas del motivo. Cuando utilice un marco giratorio para el bordado, pase la aguja de una mano arriba de la tela a la otra mano, abajo de la tela. Para que no se tuerza, no presione la tela.

Para facilitar la confección de la prenda, deje de coser el bordado a 6 mm (¼") de la línea de costura. Compare el tamaño de cada sección bordada con el del patrón. Si hay algún encogimiento debido al bordado, ajuste las líneas de corte antes de cortar la pieza de la prenda. Haga las costuras empleando un prensatelas para cierres. Termine después el bordado a lo largo de las costuras, ya sin emplear ni aro ni marco.

Cómo coser pedrería con punto deslizado

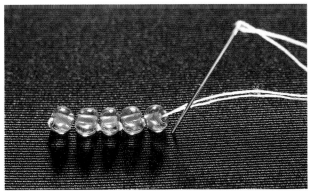

Punto deslizado básico. Saque la aguja al derecho de la tela pasándola por una cuenta y luego lleve la aguja hacia el revés, junto a la cuenta. Siga ensartando una cuenta cada vez que saca la aguja hacia el derecho, para luego sujetarla. Esta puntada se utiliza para todo tipo de cuentas.

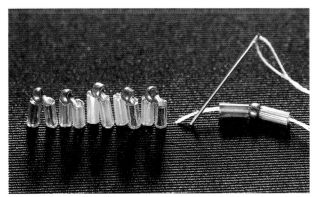

Puntada vertical. Deslice la aguja hacia el derecho y el revés de la tela, igual que lo hizo para el punto fijo básico, ensartando la aguja a través de un canutillo, una chaquira y un segundo canutillo en cada puntada. Las puntadas deben ser cortas para que las cuentas queden verticales.

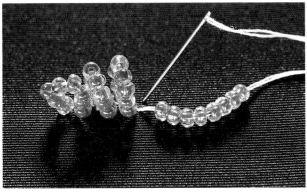

Puntada para rizado. Pase la aguja hacia arriba y hacia abajo de la tela como para un hilván largo básico, ensartando cada vez varias cuentas en cada puntada. Haga las puntadas lo más juntas que le sea posible para que le queden como puntada de relleno. Esta puntada se usa para todo tipo de cuentas, aunque da mejor resultado con cuentas redondas.

Puntada de satín. Ensarte varias cuentas en cada hilván largo, haciendo hileras muy juntas para rellenar un área grande. Si se trata de telas aterciopeladas, coloque un trozo de fieltro de la forma del motivo ya que así las cuentas no se entierran en el pelillo.

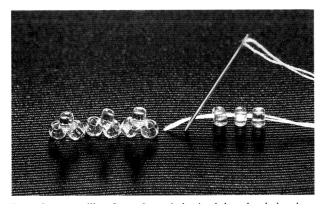

Puntada para orillas. Saque la aguja hacia el derecho de la tela a través de tres cuentas. Acomode la segunda cuenta alejada de la tela y dé una puntada corta para que la tercera cuenta se acomode junto a la primera. Haga la siguiente puntada cerca de la inmediata anterior. Resulta mejor cuando se trata de cuentas redondas y con frecuencia se emplea en la orilla de las aplicaciones.

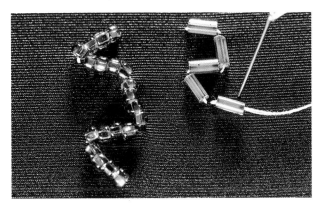

Puntada en curvas. La aguja se desliza hacia arriba y hacia abajo a través de la tela igual que para el hilván largo, ensartando una o más cuentas en cada puntada. Cada puntada va en una dirección diferente a la anterior, para formar un patrón irregular.

Aplicaciones bordadas

Cuando se trata de diseños muy elaborados en labores grandes, como una prenda, resulta más fácil bordar la aplicación y coserla a mano que coser el bordado directamente sobre la prenda. Las aplicaciones se quitan con facilidad antes de que la prenda vaya a la tintorería, asegurándose así de que las cuentas no se maltraten durante la limpieza.

El bordado se hace pasando por dos capas de tela ligera como organza, siempre que se trate de aplicaciones. El color de la tela debe ser parecido al de la prenda.

Cómo hacer una aplicación con pedrería

1) **Acomode** dos capas de organza en un aro para bordado y trace el motivo del diseño (páginas 97 y 98). Es preferible emplear un motivo que tenga orillas relativamente suaves, evitando líneas confusas en la orilla de la aplicación. Cosa las cuentas siguiendo las instrucciones para las puntadas que aparecen en las páginas 100 y 101.

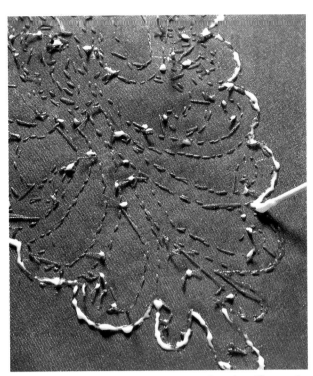

2) **Voltee** el aro y ponga pegamento para tela en la orilla exterior de las puntadas, por el revés de la tela. Hágalo con un palillo de madera. Ponga también pegamento en los nudos de los hilos. Deje que seque.

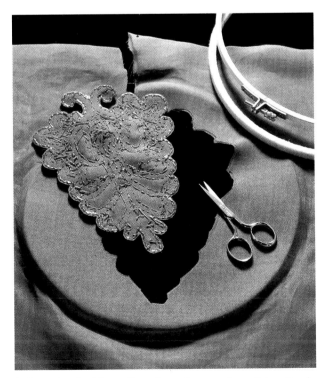

3) **Saque** la tela del aro. Corte las orillas exteriores del motivo lo más cerca posible de las puntadas, sin cortar éstas, ya sea con tijeras afiladas especiales para bordado, o para aplicaciones.

4) **Una** la aplicación a la prenda cerca de la hilera exterior de cuentas, utilizando una puntada para hilván. Cuide que las puntadas no se vean, ocultándolas entre las cuentas por el lado derecho. Hilvane alrededor del área central de la aplicación para sujetar el peso de la aplicación e impedir que se mueva.

Encaje de ante

Cuando se desee un efecto de lujo, puede adornar un ante sintético o natural con diseños cortados que recuerdan el aspecto del encaje. El encaje en ante se emplea para acentuar un cuello o bolsillo, hacer el borde de una falda de ante o adornar algunos artículos decorativos en el hogar.

Las aberturas se cortan con una cuchilla para artes plásticas y unas cuantas herramientas para trabajos en cuero. A diferencia de las aberturas en el calado tradicional, las aberturas en ante no se cosen ya que no se deshilachan.

Seleccione un encaje que le sirva de guía para hacer el calado. El diseño puede simplificarse para adaptarlo al calado. Si quiere mucha exactitud, no debe usar el patrón más de una vez.

MATERIALES NECESARIOS

Encaje, usado como guía para el patrón calado.

Hoja de plástico para trazado, con acabado mate, que se compra en las talabarterías, con la que se hacen patrones durables que se cortan con facilidad.

Adhesivo en aerosol, que se emplea como un pegamento temporal para impedir que el patrón se deslice. El adhesivo en aerosol no daña la tela.

Acolchado para corte o tabla para calado.

Cuchillas para artes plásticas con hojas curvas y rectas, así como repuestos de las mismas

Puntas para perforar, que se compran con los proveedores para talabartería (sacabocados).

Mazo, ya sea de madera, caucho o cuero.

Las herramientas para calado y perforación incluyen cinceles (**a**), sacabocados (**b**), las cuchillas para artes plásticas de hoja recta (**c**) y las de hoja curva (**d**).

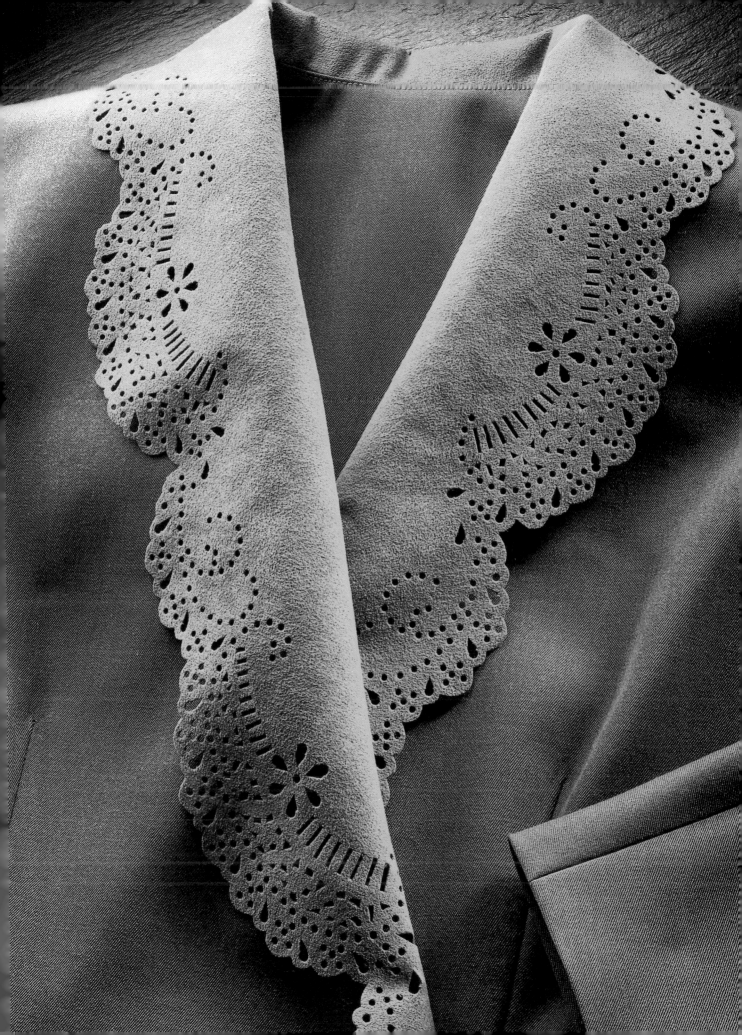

Cómo hacer encaje en ante

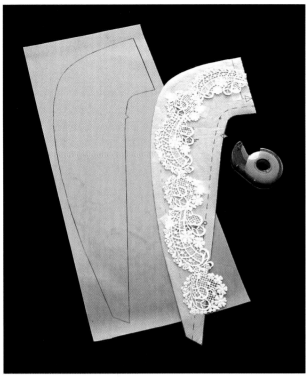

1) Trace las líneas de corte del patrón sobre un material especial de plástico. Planche el encaje con vapor para que se acomode a la pieza del patrón. Aproveche la línea de costura del patrón como guía para colocar la orilla exterior del encaje. Pegue el encaje al patrón con cinta removible.

2) Acomode la película de plástico sobre el encaje, casando las líneas de corte. Dibuje el diseño del encaje sobre la película de plástico para señalar las aberturas del calado, adaptando como desee las líneas del diseño. Quite la película de plástico.

3) Rocíe el revés de la película con un adhesivo en aerosol. Mantenga cubierta con papel el área de trabajo cuando rocíe el adhesivo y mientras esté mojado. Acomode la película de plástico sobre el lado derecho del ante.

4) Corte el ante y la película por las líneas que señaló. Perfore por las líneas de diseño sobre una base para cortar, golpeando para ello los sacabocados y cinceles con un mazo de madera. También puede cortar con cuchillas para artes plásticas. Quite la película plástica del ante.

Sugerencias para el corte de los calados

Utilice una hoja curva para cortar las orillas curvas, siguiendo el diseño que tomó del encaje.

Corte las orillas rectas con una cuchilla recta, siguiendo el diseño del encaje.

Utilice un cincel recto para cortar los extremos rectos de una abertura. Seleccione una hoja de ancho igual al de la abertura. Corte las orillas largas de la abertura con una cuchilla de artes plásticas de hoja recta o un cincel.

Utilice un sacabocado para cortar los extremos redondeados de una abertura. Corte las orillas largas del calado con una cuchilla de hoja recta o con una cuchilla curva.

Proyectos originales
Carteras, bolsos y cinturones

Carteras

Las carteras resultan especialmente útiles para los negocios o la escuela. Una cartera básica puede ser muy original si se idea una manera de abrocharla que además de ser funcional, sea muy vistosa, si varía la forma de la tapa, o si confecciona ésta de una tela contrastante.

Para la pieza principal de una cartera básica, corte un lienzo de 73.5 × 39.3 cm (29" × 15½") de la tela exterior, así como de la entretela y el forro. Los costados requieren dos piezas de la tela exterior de 26.8 × 7 cm (10½" × 2¾"). La división interior lleva una pieza de la misma tela que el exterior de 39.3 × 26.8 cm (15½" × 10½"). Si desea un ribete de 1 cm (⅜"), corte tiras de biés de 6.5 cm (2½") de ancho y únalas hasta tener una tira de 2.55 m (2¾ yd).

Cuando la tapa es contrastante, corte la pieza principal y la tapa como se indica a continuación: para la parte principal, una pieza de 58.5 × 39.5 cm (23" × 15½") tanto de la tela principal como de la entretela. Para la tapa, corte una pieza tanto de la tela para la tapa como de la entretela, que mida 18 × 39.5 cm (7" × 15½"). Corte el forro, los costados y la división para el interior igual que para la cartera básica. Acomode la entretela y cosa la pieza principal y la tapa con una costura de 1.3 cm (½") y siga después las mismas instrucciones que para la cartera básica.

Si desea que la cartera sea más rígida, forre una lámina de rejilla plástica con tela e insértela en la cartera ya terminada, para utilizar como división adicional. Para ello, corte una pieza de 54.8 × 38 cm (21½" × 15") de la tela exterior y otra de 26.2 × 36.2 cm de la rejilla.

MATERIALES NECESARIOS

Tela exterior, pesada y durable.

Tela para forro.

Entretela termoadherible.

Botón, broche de presión o cinta Velcro.

Rejilla de plástico para la división opcional de 26.2 × 36.2 cm (10¼" × 14¼").

Cómo confeccionar una cartera básica

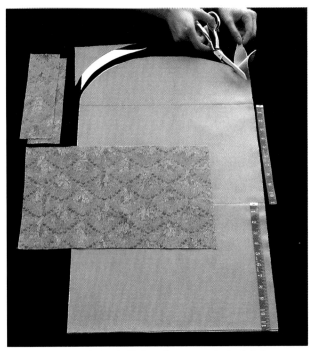

1) Corte la tela (página 110). Para la parte principal de la cartera ponga la entretela por el revés de la tela del exterior. Prenda el forro sobre la entretela. Marque las dos líneas de doblez, quedando una a 29.3 cm (11½") de uno de los extremos cortos y la otra a 28 cm (11") del primer doblez. Hilvane a máquina sobre las líneas marcadas. Corte la aleta (la tapa) a dejarla de la forma deseada.

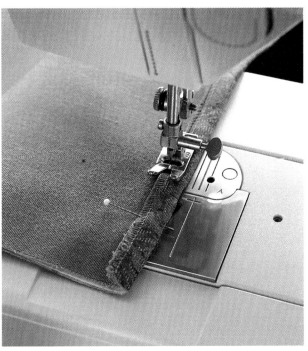

2) Remate las orillas de la parte superior de la cartera y los paneles laterales; remate también las orillas inferiores de los paneles laterales si es que la tela se deshilacha. En las orillas superiores, voltee hacia abajo 1.3 cm (½"). Cosa en su lugar.

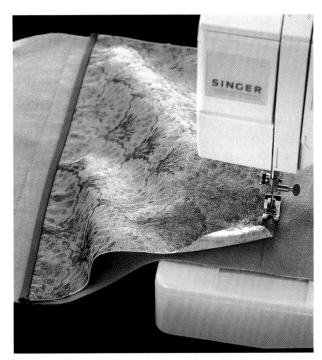

3) Cosa el ribete en la orilla larga superior de la división interior, a modo que cubra la orilla (página 61). Remate la orilla inferior si se deshilacha la tela. Acomode el separador con el derecho hacia arriba, poniéndolo sobre la parte central de la cartera, dejando que la orilla inferior se extienda 6 mm (¼") más allá de la línea inferior de doblez. Cosa a 6 mm (¼") de la orilla inferior del separador.

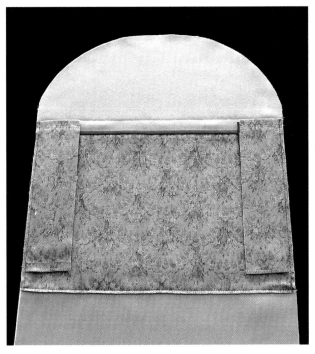

4) Ponga los paneles laterales sobre el separador, con el derecho de la tela hacia arriba y casando las orillas cortadas. Acomode la orilla superior de cada pieza lateral con la línea del doblez. Hilvane por la orilla exterior, atravesando todas las capas de tela.

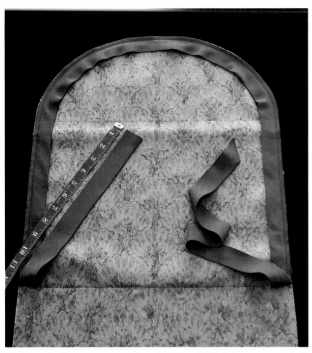

5) Cosa el ribete comenzando a 30.5 cm (12") del extremo del ribete, siguiendo la orilla exterior de la cartera, desde la línea inferior de doblez por un lado, dando la vuelta a la aleta hasta llegar a la línea inferior de doblez en el otro lado. Cosa igual que para una orilla ribeteada, vea la página 61, paso 1.

6) Doble la cartera por el doblez inferior y planche. Prenda el resto de las orillas largas de las piezas laterales con el frente de la cartera, alineando las orillas en la parte superior. Siga cosiendo el ribete a las orillas exteriores por el frente de la cartera. Corte el ribete sobrante a 1.3 cm (½") de la orilla superior.

7) Doble los extremos del ribete hacia el interior. Doble el ribete alrededor de las orillas. Cosa por la unión de las telas, como se ve en la página 61, paso 2. Para que maneje la pieza con mayor facilidad, deje de coser a 5 cm (2") del doblez inferior en ambos costados de la cartera.

8) Cosa el frente y la parte de atrás de la cartera, uniéndolos 5 cm (2") por la parte inferior de cada lado. Planche ligeramente la aleta en su lugar. Quite las puntadas del hilván que hizo en las líneas de los dobleces. Ponga el botón, broche o cinta Velcro^{MR} con que vaya a abrochar.

Separador rígido. Doble la tela por mitad a lo ancho, derecho con derecho y haga costuras a los lados dejando 6 mm (¼"). Voltee el derecho hacia afuera y planche. Inserte la rejilla de plástico rígida. Doble hacia adentro 6 mm (¼") por las orillas cortadas y cierre con punto deslizado. Meta el separador en la cartera.

El **saco para joyería** que está arriba se confecciona en tela estampada con serigrafía.

*B*olsas con cierre

Las bolsas con cierre se pueden confeccionar en varios tamaños. Van ligeramente acolchados y se pueden utilizar como bolsas de cosméticos, saquitos para joyería o bolsas de noche, dependiendo de las telas y adornos que se usen.

Para cada bolsa le hará falta un rectángulo de la tela exterior, uno del material acolchado y otro del forro, los tres del mismo tamaño. Corte cada rectángulo del doble del largo deseado de la bolsa más 1.3 cm (¹⁄₂") y del ancho deseado de la bolsa más 1.3 cm (¹⁄₂"), lo que le da pestañas de 6 mm (¹⁄₄"). Por ejemplo, para una bolsa ya terminada de 12 cm de ancho por 10 cm de largo (5" × 4"), corte rectángulos de 14 × 21.8 cm (5¹⁄₂" × 8¹⁄₂").

MATERIALES NECESARIOS

Tela para el exterior, material de poliéster para acolchar y tela para forro.

Un cierre que sea por lo menos 1.3 cm (¹⁄₂") más largo que las medidas de la parte superior de la bolsa al cortarla.

Bolsa de noche, abajo, hecha con seda retorcida y adornada con pedrería cosida a máquina.

Bolsas de viaje en diversos tamaños y formas, adornadas con trenzas retorcidas.

Cómo coser un bolso básico con cierre

1) Corte un rectángulo de cada tela: la del exterior, la del material para acolchonar y la del forro (página 114). Ponga la tela para el exterior sobre la guata de poliéster con el derecho hacia arriba y prenda.

2) Prenda un cierre cerrado a una de las orillas superiores de la tela del exterior, derecho con derecho, acomodando la orilla cortada de la tela con la orilla de la cinta del cierre. Los extremos del cierre pueden quedar después de la orilla de la tela. Utilice el prensatelas para cierres y cosa dejando pestañas de 6 mm (¹/₄").

3) Acomode el otro lado de la bolsa con el cierre, derecho con derecho y cosa, igual que en el paso 2.

4) Abra el cierre. Acomode el forro y la parte exterior de la bolsa derecho con derecho, casando a lo largo de una de las orillas superiores, procurando que el cierre quede entre las telas. Con la guata de poliéster hacia arriba, cosa sobre las puntadas anteriores y repita para el lado opuesto del forro.

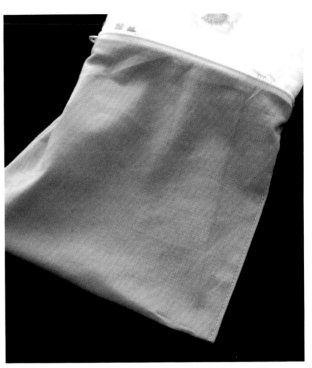

5) Cierre parcialmente la bolsa y prenda las costuras laterales, derecho con derecho, poniendo juntos forro con forro y parte exterior de la bolsa con parte exterior. Haga que casen las líneas de costura de 6 mm (¹/₄") dejando una abertura en el forro de 7.5 cm (3") en uno de los lados del forro. Cosa sobre los dientes del cierre. Corte los extremos del cierre.

6) Voltee la bolsa por la abertura para que quede afuera del derecho. Voltee las pestañas de costura hacia adentro por la abertura y haga un sobrepespunte para cerrar. Doble el forro hacia adentro de la bolsa.

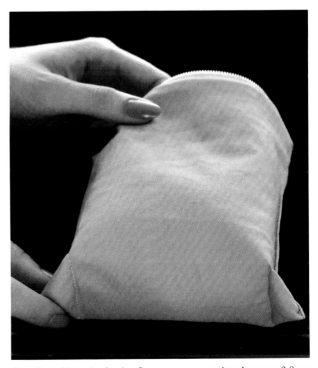

7) Empuje hacia adentro en las esquinas inferiores desde el derecho de la bolsa para dar una forma de caja a las esquinas.

8) Voltee el interior hacia afuera y cosa aproximadamente 3.8 cm (1¹/₂") a través de las esquinas, cosiendo el forro y la parte exterior. Voltee la bolsa al derecho.

Cinturones con forma

Un cinturón con forma básica puede convertirse en un accesorio único cuando se adorna o se emplea una tela original para confeccionarlo. Cambie el aspecto de la tela estampándola con serigrafía o adórnela con cuentas o pasamanería.

Para los cinturones son preferibles las telas semipesadas porque hay que dar rigidez al cinturón pegándole una entretela gruesa de malla termoadherible. Seleccione una tela que no se dañe al pegar la entretela, ya que en el proceso se requieren calor y vapor. Algunas pieles y antes sintéticos los resisten bien, verifique las instrucciones específicas para el cuidado de la tela. Para la vista del cinturón, utilice una tela de buena duración que resista el desgaste ocasionado por la cinta Velcro[MR].

Las instrucciones que se presentan son para un cinturón con un largo terminado de 89 cm (35") de punta a punta. Este tamaño es ajustable a cinturas de 56 a 76 cm (22" a 30") e incluye una holgura de 5 cm (2") para ofrecer mayor comodidad sobre la ropa y 7.5 cm (3") para el traslape en la espalda. Para una talla mayor, considere el tanto adicional necesario y auméntelo en los extremos del cinturón.

Este cinturón fue diseñado para un ribete de 3 mm (1/8"). Si desea un ribete más ancho o varias hileras de ribete, disminuya el tamaño del cinturón como se indica en la página 67, paso 1.

MATERIALES NECESARIOS

0.35 m (3/8 yd) de tela, que mida por lo menos 91.5 cm (36") de ancho, si va a emplear la misma tela para el cinturón y la vista del mismo. Si no es así, 0.25 m (1/4 yd) de tela para el cinturón y 0.25 m (1/4 yd) para la vista del cinturón.

1.95 m (2 1/8 yd) de ribete que combine o contraste con la tela-ribete doble o triple si los desea. Vea las páginas 64 y 67.

.95 m (1 yd) de entretela de malla de cierta rigidez, de la que se emplea para labores manuales.

0.95 m (1 yd) de entretela termoadherible con forro de papel.

19.3 cm (7 1/2") de cinta Velcro[MR] de 2 cm (3/4") de ancho para abrochar.

Lápiz adhesivo.

Parte del patrón para un cinturón con forma

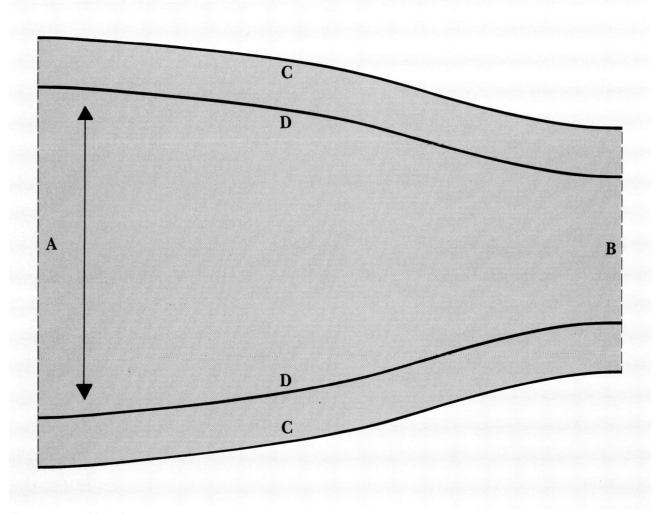

Trace una parte del patrón en tamaño natural sobre un papel y extienda las líneas C y D para formar las otras piezas del patrón, como se ve abajo.

Cómo hacer las piezas del patrón para un cinturón con forma

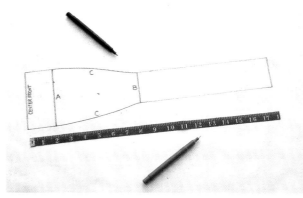

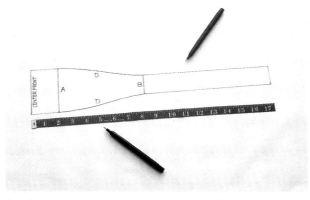

Patrón para el cinturón y la vista. Trace las líneas A, B y C del patrón parcial, arriba, en el papel en que vaya a usar. Extienda las líneas C, líneas de corte, perpendiculares a la línea A. Trace la línea del doblez central a 5 cm (2") de la línea A, paralela a ésta. Prolongue las líneas C de corte, perpendiculares a la línea B. Dibuje el extremo del cinturón a 46 cm (18") de la línea central del frente y paralelo a ésta.

Patrón para la entretela y la malla termoadherible. Trace las líneas A, B y D del patrón parcial, arriba, en el papel. Prolongue las líneas de corte D, de modo que queden perpendiculares a la línea A. Trace la línea del doblez central al frente a 5 cm (2") de la línea A y paralela a ésta. Prolongue las líneas de corte D perpendiculares a la línea B. Trace el extremo del cinturón a 44.3 cm (17½") de la línea central del frente, paralela a ésta.

Cómo coser un cinturón con forma

1) Corte una pieza para el cinturón y una para la vista con el mismo patrón, página opuesta. Corte dos piezas de la entretela y dos de la malla termoadherible con el patrón de la página opuesta. Corte una presilla de 3.5 × 12.5 cm (1³/₈" × 5").

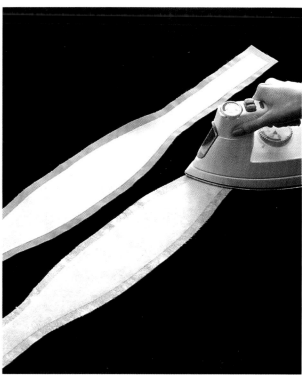

2) Ponga una pieza de malla termoadherible en una pieza de la entretela, siguiendo las instrucciones del fabricante. Planche la entretela por el revés del cinturón y repita para la vista.

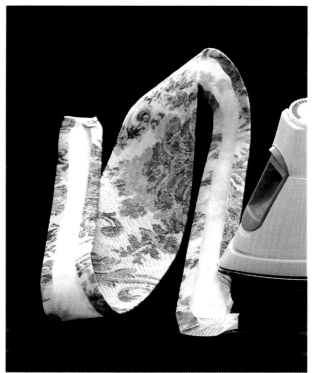

3) Doble 1.3 cm (¹/₂") para las pestañas por las orillas largas del cinturón sobre la entretela y planche. En las esquinas, haga una muesca en las pestañas y planche en ángulo. Ribetee las pestañas si lo desea. Repita el proceso en la vista.

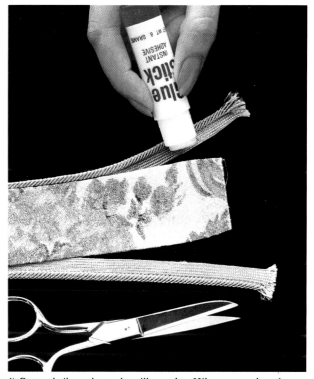

4) Corte el ribete de cordoncillo en dos. Hilvane por el revés tanto en la orilla superior como en la inferior del cinturón, usando lápiz adhesivo. Recorte los extremos del cordoncillo a que queden al ras con las orillas cortadas.

(Continúa en la página siguiente)

Cómo coser un cinturón con forma (continuación)

5) Doble 1.3 cm (½") de pestaña en los extremos cortos del cinturón sobre la entretela. Planche y haga lo mismo con la vista.

6) Cosa el lado suave de la cinta Velcro^{MR} a la vista del cinturón, dejando 2.5 cm (1") libres a la orilla. Corte una tira de 3.8 cm (1½") del lado de la cinta con ganchos y cósala al derecho del cinturón, a 2.5 cm (1") del otro extremo.

7) Doble 6 mm (¼") hacia el revés por las orillas de la presilla y planche. Doble la presilla por la mitad a lo largo y planche. Haga un sobrepespunte en ambas orillas largas.

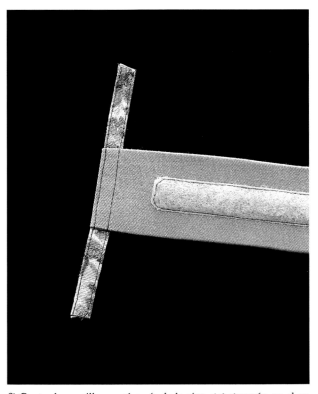

8) Centre la presilla por el revés de la vista del cinturón en el extremo que tiene la cinta suave y cosa un sobrepespunte para fijarla.

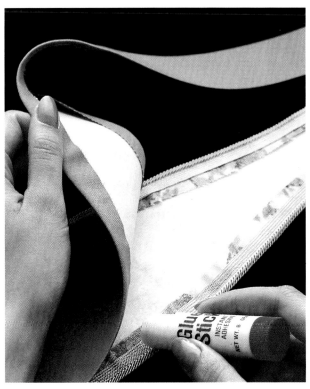

9) Case el revés de la vista del cinturón con el revés del cinturón e hilvane en su lugar con pegamento.

10) Cosa un sobrepespunte en el cinturón por las orillas largas usando un prensatelas para cierres.

11) Cosa la vista del cinturón cerrando los extremos cortos con punto deslizado.

12) Doble la presilla alrededor del otro extremo del cinturón. Ajuste el largo de la presilla lo necesario para que el cinturón se deslice con facilidad. Fije a mano los extremos de la presilla.

Más detalles de originalidad

Las diversas técnicas que se muestran a lo largo de este libro se pueden emplear también en la confección de carteras, bolsos, cinturones y muchas otras prendas. Convierta sus labores en algo especial creando su propia tela, poniendo un toque creativo o adornándolas con un ribete único.

La mascada que aquí se muestra, sirvió como inspiración para hacer la cartera, el bolso con cierre y el cinturón. Los motivos en la mascada se adaptaron para pintar la tela para el bolso y para el trabajo con pedrería que se empleó en el cinturón. Los colores poco comunes de la mascada inspiraron la selección de color para las telas de la cartera.

Índice